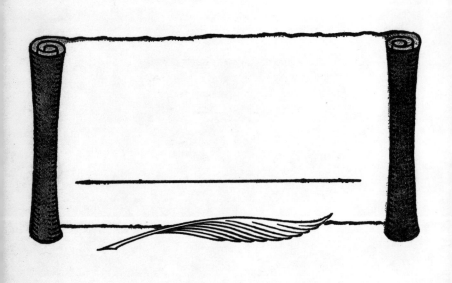

LE LIVRE D'OR DE L'OPTIMISTE

OPTIMISME : cette énergie intérieure dont la présence ou l'absence détermine qu'un homme progresse ou reste stationnaire dans la vie.

HERVÉ LAFLEUR

LE LIVRE D'OR
DE L'OPTIMISTE

Textes colligés et traduits par
PIERRE CLÉMENT

Quand une lecture vous élève l'esprit et qu'elle vous inspire des sentiments nobles et courageux, ne cherchez pas une autre règle pour juger de l'ouvrage; il est bon et fait de main d'ouvrier.

LA BRUYÈRE

PRÉFACE

Il est des circonstances de la vie où l'on se sent porté au-dessus du moi ordinaire : une grande oeuvre de théâtre, une pièce de musique qui a soudainement éveillé des échos profondément endormis, un paysage grandiose qui surgit au sommet d'une route élevée, un essaim d'étoiles filantes dans le ciel bleuté de la nuit, voilà autant de moments où l'humain ressent son intime union avec le beau et le grand.

Ainsi en est-il d'un beau poème ou d'une pensée inspirante.
Un poème est un joyau pour plusieurs raisons. Il peut enchanter l'oreille par sa beauté sonore. Il peut plaire par la cadence de son rythme ou charmer l'oeil intérieur par la pose saisissante dans laquelle il campe une vérité oubliée.

Certes, certains poèmes savent inspirer la réalisation du beau.

Mais d'autres, avec des mots de tous les jours, possèdent cette capacité rare de mobiliser le sursaut de courage, d'espoir ou de joie qui est implicite dans les mots tels que : bonheur, foi, courage, fraternité, inspiration, amitié, amour, etc.

Ce don de piquer l'âme à l'action et à l'optimisme a été le premier critère qui a dirigé l'auteur dans le choix de cette anthologie qu'il a voulu être un trésor d'inspiration.

Puisse ce livre multiplier pour vous ces circonstances de la vie "où l'on se sent porté au-dessus du moi ordinaire" !

Puisse-t-il être pour vous :

UN AMI, POUR PLUSIEURS RAISONS !

À CEUX ET À CELLES

qui ont déjà frôlé cette sensation épouvantable qui se nomme l'incapacité d'être heureux,

qui cherchent des moyens d'entretenir ce survoltage intérieur qu'on appelle la passion de vivre,

CE LIVRE EST DÉDIÉ

Pierre Clément

Cette première table des matières servira de guide pour retracer les divers chapitres.

Table des matières :

Une autre table de matières, à la fin du livre, donnera l'ordre alphabétique des principales pièces citées dans le livre.

Autres oeuvres du même auteur :

COMMENT ACQUERIR UNE MEMOIRE D'ELEPHANT

SOYEZ VOTRE PROPRE GUERISSEUR

COMMENT ON DEVIENT HYPNOTISEUR

L'AUTO-SUGGESTION TRANSFORMERA VOTRE VIE

QUE PEUT FAIRE L'HYPNOTISME POUR VOUS ?

OPTIMISME

Il n'est jamais "trop tard". Pour chacun de nous, il existe un "Pays du Recommencement". A tout moment de la vie, on peut décider de recommencer à neuf.

LE PAYS DU RECOMMENCEMENT

Je voudrais qu'il soit un pays merveilleux
Qui s'appelle le Pays du Recommencement,
Où toutes nos erreurs d'antan,
Toutes nos blessures du coeur,
Toute misérable, égoïste cupidité,
On pourrait jeter en entrant, heureux,
Comme un vieux manteau de malheur
Qu'on n'aura plus besoin d'endosser.

Je voudrais qu'on y arrive sans avertissement,
Comme le chasseur trouvant une piste cachée,
Et que celui-là soit à l'entrée
Que, dans notre aveuglement,
Nous avions blessé le plus injustement,
Comme un vieil ami qui attend
Le copain qu'il aime le mieux saluer.

On y trouverait tous les petits vouloirs
Qu'on a oubliés, puis trop tard repensés,
Les petits compliments négligés,
Les petites promesses oubliées,
Et les mille et un petits devoirs
Qui auraient rendu meilleure la journée
D'un frère ou d'une soeur moins fortunée.

Il serait impossible d'être méchant
Dans le Pays du Recommencement.
A ceux qu'on avait mal jugés,
A ceux qu'on avait enviés,
Pour leur moment de gloire ici,
Une bonne poignée de mains amie
Dirait plus qu'une bouche repentie.

On y saurait que le plus dur avait été le meilleur
Qu'au lieu de perdre, de gagner on avait eu l'heur,
Que les tristesses auraient pu être l'occasion
D'être gai, pour une plus haute raison.
C'est la gaieté qu'on cherchaient plus ardemment
Dans le merveilleux Pays du Recommencement.

Louisa FLETCHER
"The land of beginning again"

Il faut prêcher sur la vie, non sur la mort : répandre l'espoir et non la crainte; et cultiver en commun la joie, vrai trésor humain. C'est le grand secret des sages et ce sera la lumière de demain. Les passions sont tristes. La haine est triste. La joie tuera les passions et la haine, mais commençons par nous dire que la tristesse n'est jamais ni noble, ni belle, ni utile.

ALAIN

Je ne veux pas qu'on apprenne de gaieté de coeur à l'enfant l'horreur de la vie, la méchanceté des êtres, la laideur des choses, la puanteur des charniers, le sang répandu, les haines mortelles, le rêve de l'enfer, la colère de Dieu, comme des choses toutes simples sur lesquelles il faut se hâter de le blaser, pour que sa raison s'y habitue ou que sa croyance s'y soumette (...) je voudrais qu'il fût possible de laisser l'enfant grandir sans savoir que le mal existe.

GEORGES SAND

Souriez, cela intrigue vos ennemis.

AUTEUR INCONNU

CELA N'ETAIT PAS FAISABLE

Quelqu'un dit que ça n'était pas faisable,
Mais lui répliqua, étouffant un petit ris,
Qu'il ne s'en dirait pas incapable
Avant de l'avoir lui-même essayé.
Alors, serrant sa ceinture, grimaçant, quasi,
Il entonna un chant quand au travail se mit
Qui n'était pas faisable; et il le réussit!

Quelqu'un railla : "Oh! tu ne feras jamais ça,
Personne ne l'a jamais fait, en tout cas."
Mais lui ôta son veston, déposa son chapeau;
La première chose qu'on sut, il commençait,
Avec une quasi-grimace, tirant le menton haut,
Sans un seul "peut-être" ni le moindre "mais".
Il entonna un chant quand au travail se mit
Qui n'était pas faisable, et il le réussit!

"Cela n'est pas faisable", des milliers te le diront;
La faillite, des milliers te la prédiront.
Des milliers te pointeront, un par un,
Les dangers qui assaillent un chacun.
Serre un peu ta ceinture avec une quasi-grimace,
Ote ton veston et vas-y donc avec audace.
Puis entonne un chant en commençant cela, ami,
Qui n'était pas faisable; et tu l'auras réussi!

EDWARD GUEST
"It could not be done"

Le vrai contentement, c'est de pouvoir extraire de toute situation tout ce qui s'y trouve de bien.

La beauté morale laisse un souvenir inoubliable à celui qui, même une seule fois, l'a contemplée ... Elle est, beaucoup plus que la science, l'art ou la religion, la base de la civilisation.

ALEXIS CARREL

Lorsque je me sens déprimé par les événements, je puis, dans l'espace d'une heure, éliminer mes soucis et me transformer en un optimiste exhubérant.

Voici comment je fais. J'entre dans ma bibliothèque, je ferme les yeux et je marche vers certaines tablettes qui ne contiennent que des livres d'histoire. Les yeux toujours fermés, j'allonge la main pour prendre un livre, sans savoir si ce sera la "Conquête du Mexique" de Prescott ou "Les vies des douze Césars" de Suétone. Puis, enfin, j'ouvre les yeux et je lis durant une heure; et plus je lis, plus clairement je réalise que le monde a toujours été dans les affres de l'agonie, que la civilisation a toujours chambranlé au bord du précipice. Les pages de l'histoire hurlent littéralement leurs récits tragiques de guerre, de famine, de pauvreté, de pestilence et de l'inhumanité de l'homme pour l'homme. Après une heure de lecture, je réalise que, si mauvaises que soient les circonstances actuelles, elles sont infiniment meilleures qu'elles l'ont déjà été. Cela me permet de voir et d'envisager mes soucis présents dans leur perspective propre et de réaliser que le monde — en général — est sans cesse en train de s'améliorer.

RODGER W. BABSON

LA CHANCE

C'est me juger mal de dire que je ne reviens pas
Quand, ayant frappé, je ne vous trouve pas là.
Je reviens tous les jours à votre porte,
Au réveil et à la victoire je vous exhorte.

Ne pleure donc pas les chances perdues.
Ne regrette pas les beaux jours manqués.
Chaque soir, je brûle tous mes dossiers;
Toute âme renaît avec l'aube revenue.

Comme un enfant, moque-toi des chances enallées,
Aux bonheurs enfuis sois indifférent.
Mon jugement s'applique aux choses passées,
Mais de l'avenir ne touche aucun moment.

Si oublié que tu sois, sèche donc tes yeux.
Je prête la main à quiconque dit : "Je veux".
Jamais malheureux ne descendit si bas
Qu'il n'ait pu se relever en prenant mon bras.

Si le remords d'une jeunesse perdue t'assiège,
Même si justice humaine t'a éclaboussé,
J'ai brûlé toutes les archives du passé
Et pages du futur sont blanches comme neige.

Quel que soit ton deuil, aujourd'hui je t'en libère.
Quel que fut ton péché, il fut lavé de ton fiel.
De ce matin même les ailes t'arrachent à l'enfer,
Et chaque soir, mon étoile t'invite au ciel.

WALTER MALONE

Il faut trente-six muscles pour faire la moue et seulement treize pour sourire. Pourquoi faire la dépense additionnelle d'énergie ?

ANONYME

Un pessimiste explique que le lys appartient à la famille des oignons; l'optimiste soutient que l'oignon appartient à la famille des lys.

ANONYME

Le criquet tient dans le creux de la main, mais on l'entend dans toute la prairie.

PROVERBE DU SÉNÉGAL

Si nous faisions toutes les choses que nous sommes capables de faire, nous serions littéralement abasourdis d'étonnement.

THOMAS E. EDISON

LE CREDO DE L'OPTIMISTE

Je promets :

* D'être fort au point que rien ne puisse troubler ma sérénité d'esprit;
* De parler de santé, de bonheur et de prospérité à toute personne que je rencontrerai;
* D'inculquer à mes amis la confiance en eux-mêmes;
* De ne considérer que le bon côté des choses, en véritable optimiste;
* De ne songer qu'au mieux, de ne travailler que pour le mieux et de n'espérer que le mieux;
* De manifester autant d'enthousiasme pour les succès des autres que pour les miens;
* D'oublier les erreurs passées et de voir à faire mieux à l'avenir;
* D'avoir toujours l'air gai et de sourire à toute personne que je rencontrerai;
* De consacrer tant de temps à m'améliorer moi-même que je n'aurai pas le temps de critiquer les autres;
* D'être trop magnanime pour me tracasser, trop noble pour m'irriter, trop fort pour craindre et trop heureux pour me laisser troubler.

CHRISTIAN D. LARSON

UN SOURIRE

Un sourire ne coûte rien, mais il rapporte beaucoup, il enrichit celui qui le reçoit sans appauvrir celui qui le donne. Il suffit d'un moment pour esquisser un sourire, mais son souvenir est parfois inoubliable.

Nul n'est si riche ou si puissant qu'il puisse s'en passer et nul n'est si pauvre qu'il ne puisse s'enrichir en le donnant.

Un sourire crée le bonheur au foyer, encourage la bienveillance en affaires et scelle l'amitié. Il apporte le repos à ceux qui sont fatigués, la joie à ceux qui sont découragés, le soleil à ceux qui sont tristes; c'est le meilleur antidote de la nature contre les tracas de la vie.

N'empêche qu'on ne peut l'acheter, l'emprunter ou le voler, car c'est quelque chose qui n'a aucune valeur avant d'être donné.

Il y a des gens qui sont trop fatigués pour vous adresser un sourire. Accordons-leur un des nôtres : personne n'en a autant besoin que celui qui ne sait plus sourire.

FRANK IRVING FLETCHER
"A smile"

ESSAIE DE SOURIRE

Quand la température point ne te chaut,
Essaie de sourire.
Quand ton café n'est pas assez chaud,
Essaie de sourire.
Quand les voisins t'embêtent
Et que toute la parenté tempête,
C'est pas facile, je l'admets bien,
Mais essaie de sourire !

Je sais que ça ne change rien,
De sourire.
Mais il est clair que ça n'empire rien,
De sourire.
Puis, ça peut aider ton cas,
En adoucissant tes tracas.
Ça rend le visage moins las,
De sourire.

AUTEUR INCONNU

Si tu es occupé à être gai, et à rendre gais ceux qui sont tristes, même si le coeur te pince un peu, tu auras bientôt oublié de t'en apercevoir, sans t'en rendre compte.

REBECCA FORESMAN

17

IL FAIT BEAU AUJOURD'HUI

Bien sûr que la vie est remplie de misères,
Je n'ai jamais dit le contraire.
Je sais que j'en ai eu ma part à étreindre
Et que j'ai mille raisons de me plaindre.
Contre moi vents et orages se sont unis;
Et combien de fois le ciel a été gris !
Les épines et les ronces m'ont piqué,
A gauche, à droite, et ailleurs aussi.
Mais, pour dire toute la vérité,
Fait-il assez beau aujourd'hui !

A quoi sert de toujours brailler
Et de rabâcher les soucis d'hier ?
A quoi sert de ressasser la passé
Et, au printemps, de parler de l'hiver ?
Un chacun doit avoir ses tribulations
Et mettre de l'eau dans son vin.
La vie n'est certes constante célébration.
Des soucis ? Bien sûr, j'ai eu les miens.
Mais il faut bien le voir aussi :
Il fait diablement beau aujourd'hui !

C'est aujourd'hui que je vis,
Et non pas il y a un mois.
T'en as, t'en as pas, tu donnes et tu prends
Selon qu'en décide le moment.
Hier, un nuage de chagrin
A bien assombri mon chemin.
Demain, il pleuvra peut-être
A casser les carreaux de fenêtres,
Mais faut dire, puisque c'est ainsi :
Fait-il assez beau aujourd'hui !

DOUGLAS MALLOCH

Un optimiste voit le beigne, un pessimiste voit le trou, et le réaliste le mange.

Quand la chance frappe à leur porte, bien des gens ne font que se plaindre du bruit.

LA TOUCHE DU MAITRE

Il était fort délabré et abîmé.
L'encanteur ne voyait pas l'heur
De perdre du temps sur ce vieux violon;
Mais il le montra, avec un sourire gêné :
"Combien vous m'offrez, mesdames et messieurs ?
Qui va commencer l'enchère ? Voyons !
Un dollar ? Un dollar !", puis, "Deux ! Seulement deux ?
Deux dollars; et qui dit trois ?
Trois dollars, une fois; trois dollars, deux fois;
Trois dollars, trois..." Mais non; sur l'heure,
Du fond de la salle, un monsieur grisonnant
S'avança lentement, et ramassa l'archet, lentement.

Il essuya la poussière du vieux violon
Et redonna aux cordes lâches bonne tension.
Il joua une mélodie pure et douce; l'âme
Du violon frémit, comme seule frémit une âme.
La musique cessa, et l'encanteur,
D'une voix calme et qui vibrait,
Dit : "Combien pour le vieux violon, cette fois ?"
L'élevant d'une main, et, de l'autre, l'archet.
"Mille dollars ! Et qui dit deux mille ?
Deux mille ! Et qui dit trois mille ?
Trois mille, une fois; trois mille, deux fois;
Trois mille, trois fois; VENDU ! — Merci, maître !"
Les gens applaudirent, mais certains pleuraient.
Quelqu'un dit : "Je ne comprends pas tout à fait
Ce qui a si vite changé sa valeur."
La réponse plut de partout : "La touche du maître !"

Et plus d'un, à la vie désaccordée,
A l'âme abîmée et délabrée,
Se vend à l'enchère, comme le vieux violon,
Bon marché, à la foule irréfléchie :
Un "plat de lentilles", un verre de vin;
Une partie, et il va son chemin,
Il est vendu, une fois; vendu, deux fois;
Et bientôt, presque VENDU ! trois fois;
Mais le maître vient, et la foule en sa folie
Ne peut jamais comprendre tout à fait
La valeur d'une âme, et le changement de son
Que la touche du maître — si vite — a fait.

MYRA BROOKS WELCH
"The touch of the master's hand"

Une fleur reçoit la rosée, et une autre pas, selon qu'elle ouvre ses pétales pour la garder, ou les ferme pour la laisser tomber.

Celui qui fait confiance aux hommes fera moins d'erreurs que celui qui se méfie d'eux.

CAVOUR

Le maître qui réussit à inspirer un élève par une seule bonne action, un seul beau poème, fait plus que celui qui remplit la mémoire avec des listes et des listes d'objets, classifiés selon leurs noms et leurs formes.

GOETHE

Finissez chaque jour et ne vous en préoccupez plus. Vous avez fait ce que vous pouviez. Quelques balourdises et quelques absurdités s'y sont sans doute glissées; oubliez-les dès que vous le pourrez. Demain est un autre jour; commencez-le bien, avec sérénité et avec un enthousiasme tel qu'il ne puisse s'encombrer des anciennes folies. Qu'il soit trop plein d'espoir et d'invitation pour en gaspiller un seul instant à penser à hier.

RALPH WALDO EMERSON

RAISONS DE VIVRE

Je vis pour ceux qui m'offrent l'amour
D'un coeur sincère et bienveillant.
Et pour le ciel accueillant
Où mon âme anticipe son séjour.

Pour tous ces liens qui me rattachent aux humains,
Pour la tâche qui m'a été assignée,
Pour tous les espoirs que je trouve en chemin,
Et pour le bien dont l'oeuvre m'est donnée.

Je vis pour apprendre l'histoire
De ceux qui ont souffert pour moi,
Pour travailler à émuler leur gloire
En suivant la trace de leur voie.

Bardes, patriotes, martyrs, sages,
Ces héros de tous les âges
Dont les hauts faits illustrent les ans
Et constituent le livre du temps.

Je vis pour sentir cette communion
Avec tout ce qui est divin
Et réaliser cette intime union
Entre le coeur de la nature et le mien;
Pour apprendre les leçons de l'affliction,
Chercher la vérité derrière la fiction,
Sachant de la sagesse le besoin
Pour embrasser de Dieu l'immense dessein.

Je vis pour hâter cette saison
Prédite par tous les initiés,
Où les hommes de l'amour verront la raison
Et l'âge de l'or deviendra l'âge de l'amitié,
Où l'homme à l'homme s'unissant
Chaque tort sera redressé, sans besoin de loi
Et le monde entier sera bienveillant
Comme dans l'Eden d'autrefois.

Je vis pour ceux qui m'offrent l'amour
Et me connaissent vraiment,
Pour le ciel accueillant
Où mon âme les reverra un jour.
Pour la cause qui attend mon assistance
Pour opposer au mal ma propre résistance
Pour cet avenir dans l'humain entendement
Et le bien que je puis faire en attendant.

GEORGE LINNEAUS BANKS

Il ne fait aucun doute que toute personne devrait dévouer du temps à quelque plaisir particulier — quand ce ne serait que cinq minutes par jour — comme aller à la recherche d'une fleur jolie, d'un nuage ou d'une étoile, comme apprendre un beau vers, ou égayer la vie monotone d'un autre.

A quoi rime toute cette terrible diligence avec laquelle les gens se fatiguent, s'ils remettent toujours à plus tard leur échange de sourires avec la beauté et la joie, pour s'accrocher à des relations et à des devoirs ennuyeux? A moins d'admettre dans sa vie ces présences fraîches et éternelles alors qu'on peut le faire, on laisse stagner sur toute sa vie une poussière grise.

HELEN KELLER

Jeunesse — Etre jeune, c'est être spontané, c'est rester proche de la vie, pouvoir se dresser et secouer les chaînes d'une civilisation périmée, oser ce que d'autres n'ont pas eu le courage d'entreprendre; en somme, se replonger dans l'élémentaire. Le courage de la jeunesse, c'est l'esprit du "Meurs et deviens", la notion de la mort et de la renaissance.

THOMAS MANN

Les gens les plus heureux au monde sont ceux qui entretiennent les pensées les plus intéressantes.

LYON PHELPS

CE QU'UN ENFANT APPREND

Si un enfant vit dans la critique,
Il apprend à déprécier.
Si un enfant vit dans l'hostilité,
Il apprend à se battre,
Si un enfant vit dans la peur,
Il apprend à devenir appréhensif.
Si un enfant vit dans la pitié,
Il apprend à se plaindre.
Si un enfant vit dans la jalousie,
Il apprend à haïr.
Si un enfant vit dans la reconnaissance,
Il apprend la confiance en lui-même.
Si un enfant vit dans les louanges,
Il apprend à apprécier.
Si un enfant vit dans l'approbation,
Il apprend à se respecter.
Si un enfant vit dans la reconnaissance,
Il apprend à avoir un but.
Si un enfant vit dans l'équité,
Il apprend la justice.
Si un enfant vit dans l'honnêteté,
Il apprend ce qu'est la vérité.
Si un enfant vit dans l'amitié,
Il apprend que le monde est un lieu plaisant à vivre.

ANONYME

Sourire — Installez un véritable sourire sur votre visage; rejetez vos épaules en arrière, prenez un profond respir, et chantez un bout de chanson. Si vous ne pouvez chanter, sifflez; si vous ne pouvez siffler, chantonnez. Vous découvrirez vite qu'il est physiquement impossible d'avoir les bleus ou de se sentir déprimé pendant que, comme un acteur, on joue les symptômes d'une heureuse radiance !

DALE CARNEGIE

Un chrétien devrait vivre de telle sorte qu'au lieu d'être une partie des problèmes du monde, il soit une fraction de leur solution.

Lorsque nous haïssons nos ennemis, nous leur donnons un pouvoir sur nous : le pouvoir d'affecter notre sommeil, notre appétit, notre tension artérielle, notre santé et notre bonheur. Nos ennemis danseraient de joie si seulement ils savaient combien ils nous inquiètent, combien ils nous lacèrent et combien ils transforment nos jours et nos nuits en un pur tiraillement d'enfer.

DALE CARNEGIE

Sourire et jeunesse — C'est un fait que le visage d'un chanteur garde sa jeunesse longtemps après que celui des autres gens de son âge a commencé à vieillir.

Un spécialiste en beauté reconnu attribue la chose au fait que les muscles des joues sont si bien développés chez les chanteurs qu'ils ne s'affaissent pas, gardant ainsi à la face ce contour agréablement arrondi et si nécessaire à l'apparence de la jeunesse.

LA VIE COMMENCE A 40 ANS

L'âge mûr n'est pas le commencement de la fin, c'est la fin du commencement.

En Chine, on n'est pas reconnu adulte avant d'avoir atteint ses 40 ans. Avant cet âge, on n'a pas le droit de parler en la présence des sages. Pour le Chinois, l'arrivée de la quarantaine est une chose joyeuse et excitante plutôt qu'un événement à appréhender.

L'âge n'a aucune espèce d'importance, à moins que vous ne soyez un fromage.

BILLIE BURKE

L'optimiste rit pour oublier; le pessimiste oublie de rire.

AMITIÉ ET AMOUR

A LA MANIERE D'UN AMI

Quand un homme n'a pas un sou
Et qu'il a le cafard à tout casser,
Quand les nuages sont d'un noir fou,
Si lourds que le soleil en est caché,
Comme ça peut te faire de bien
Si quelqu'un vient mettre sa main
Sur ton épaule, bien ainsi,
A la manière d'un ami.

Ça te fait sentir curieux,
Puis ça t'amène la buée aux yeux,
Et ça fait chaud de bonheur
Quelque part dans la région du coeur.
Tu ne peux dans les yeux le regarder
Et tu ne sais plus comment parler,
Quant ton épaule sa main a senti,
A la manière d'un ami.

C'est un drôle de monde, n'est-ce pas,
Avec ses douleurs et ses tracas,
Avec ses problèmes et ses croix ?
Mais un bon monde quand même, crois-moi,
Et il faut qu'un Dieu bon l'ait fabriqué.
En tout cas, c'est ça que je me dis,
Quand sur mon épaule une main a pesé
A la manière d'un ami.

JOHN WHITCOMB RILEY
"In a friendly sort of way".

Mon cher Liszt : Il faut que je vous le dise, VOUS ETES UN AMI. Que ces mots suffisent, car même si j'ai toujours reconnu que l'amitié entre les hommes est le plus noble et le plus élevé des rapports, c'est vous qui avez incarné pour moi cette idée dans sa plus puissante réalité, en ne me laissant plus imaginer mais bien sentir et saisir ce qu'est l'amitié. Je ne vous remercie point, parce que vous seul avez le pouvoir de vous remercier par votre propre joie d'être ce que vous êtes. Quelle noblesse d'avoir un ami, mais combien plus grande noblesse d'être un ami !

WAGNER

Pour un ami, sept verstes ne font pas un détour.

EXPRESSION RUSSE

L'ESSENCE DE L'AMITIE

Oh ! le réconfort, l'inestimable réconfort de se sentir en sécurité avec un ami; de n'avoir jamais à mesurer ses pensées ou peser ses mots, mais de les laisser jaillir spontanément, paille et grain ensemble, sachant que sa main fidèle les tamisera, gardera ce qui en vaut la peine et, dans son immense bonté, soufflera le reste au vent.

DINAH MARIA MULOCH CRAIK

*Ce que l'homme ici-bas appelle le génie,
C'est le besoin d'aimer; hors de là tout est vain.*

ALFRED DE MUSSET

On est souvent trompé en amour, souvent blessé et souvent malheureux; mais on aime, et quand on est sur le bord de sa tombe, on se retourne pour regarder en arrière, et on se dit : "J'ai souffert souvent, je me suis trompé quelquefois, mais j'ai aimé".

ALFRED DE MUSSET

26

AU COIN DE LA RUE : UN AMI

Au coin de la rue vit un ami mien,
Dans cette grande ville sans fin.
Un jour, une semaine est vite passée.
Sans la voir, j'ai vécu une année,
Et sans avoir vu mon ami Jean;
La vie est une course sans laissement.
Il sait que je l'aime autant
Qu'aux plus beaux jours d'antan
Quand il sonnait à ma porte, moi à la sienne;
Plus jeunes, lui et moi nous étions,
Aujourd'hui, nous sommes fatigués, occupés
A ce jeu d'efforts insensés,
De nous user à faire "nos noms".
"Demain, me dis-je; faut que je vienne
Chez Jean, pour lui dire que je pense à lui;
Mais vient demain et s'en va demain
Et la distance entre nous grandit, grandit;
Au coin de la rue, et pourtant si loin.

"Voici un télégramme, Monsieur.
"Jean est mort, hier matin".
Et c'est ça hélas, qu'on mérite à la fin :
Au coin de la rue, un ami, disparu, mon vieux.

CHARLES HANSON TOWNE

Aussi longtemps que nous aimons, nous servons. Aussi longtemps que d'autres nous aiment, nous pourrions presque dire que nous sommes indispensables; et nul homme n'est inutile tant et aussi longtemps qu'il possède un ami.

ROBERT LOUIS STEVENSON

Possession plaisante est inutile sans un ami avec qui la partager.

SÉNÈQUE

AMITIE — *Une sainte passion, si douce, loyale et durable de sa nature qu'elle vous accompagnera tout le long de votre vie, si vous n'en profitez pas pour emprunter de l'argent.*

MARK TWAIN

UN AMI ✓

Qu'est-ce qu'un ami ? Je m'en vais vous le dire.

C'est une personne avec qui on ose être soi-même.

C'est celui avec qui on peut mettre son âme à nu.

De vous, il ne semble attendre aucun déguisement, seulement que vous soyez tel que vous êtes.

Lorsque vous êtes avec lui, vous n'avez pas besoin d'être sur vos gardes.

Vous pouvez dire ce que vous voulez, du moment que vous restez sincèrement vous-même. Lui sait comprendre ces contradictions dans votre nature qui amènent les autres à vous juger mal.

Avec lui, on respire librement; on peut avouer ses petites vanités, ses envies, et ses absurdités; par ce simple aveu, elles se dissolvent dans l'océan de sa loyauté.

Lui sait comprendre. On peut pleurer avec lui, rire avec lui, prier avec lui; dans tout cela, il vous voit, il vous connaît, il vous aime. Un ami, je le répète, c'est QUELQU'UN AVEC QUI ON OSE ETRE SOI-MEME.

L'Auteur est inconnu, mais le passage est
certainement inspiré de Ralph Waldo Emerson

AMITIE ✓

Dire à un ami ses défauts, c'est l'un des plus durs tests de l'amitié. Si vous êtes fâché contre un homme, si vous le haïssez, il n'est pas difficile de le poignarder de vos mots; mais aimer un homme au point de ne pouvoir supporter la tache qui l'enlaidit, et de lui dire des vérités qui font mal avec des mots d'amour — cela, c'est de l'amitié. Mais très peu de gens ont de tels amis. Ce sont généralement nos ennemis qui nous montrent tels que nous sommes, à la pointe de l'épée !

HENRY WARD BEECHER

LE MOINE ET LE PAYSAN

Un paysan, un jour, sans y penser,
Des contes sur un ami alla colporter.
Plus tard, apprenant la fausseté de ces fables
Il voulut aussitôt faire amende honorable.

Il alla demander conseil auprès d'un moine
Un homme sage et fort estimé.
Une fois qu'il l'eut bien écouté
L'ermite vite trouva solution idoine.

Le bon moine lui dit : "Si tu veux
Retrouver la paix de ton esprit,
J'ai un plan par lequel tu peux
Te délivrer de ton souci.

Va remplir un sac de plumes de poulet
Puis, à chaque barrière de cour,
Laisse tomber une plume de duvet
Là où tes commérages eurent cours."

Le paysan fit tel que convenu,
Au moine fut bientôt revenu,
Bienheureux que sa pénitence
Si vite ait pu guérir sa repentance.

"Pas encore", dit le vieux moine, sévère,
"Reprends ton sac vide que voilà
Et ramasse chaque plume légère
Qu'à chaque porte tu déposas."

Le paysan, anxieux de son pardon,
S'en retourna sitôt, obéissant.
Mais ne retrouva onc plume d'oisillon,
Toutes ayant volé avec le vent.

MARGARET E. BRUNER

LE LUTTEUR ET SON AMI

Un homme était devenu un tel maître de la lutte qu'il possédait un répertoire de 360 prises. A son élève préféré, il en avait montré 359, retardant toujours de lui montrer la dernière.

Mais celui-ci eut vite fait de se croire tellement bon qu'il crut compter sur sa jeunesse pour défier son maître devant le roi, les ministres de l'état et les nobles de la cour.

Le maître mis au défi, sachant fort bien que la jeunesse de son élève le rendait supérieur à lui, dut donc utiliser la prise qu'il ne lui avait jamais enseignée. Alors, le saisissant par les deux mains, le maître le leva d'un seul bloc au-dessus de sa tête pour ensuite l'écraser à terre. Le roi accorda de grands honneurs au champion et réprimanda le jeune : "Tu t'es montré traître envers ton propre protecteur, et tu as failli dans ta présomption." A quoi il répondit : "Oh, sire ! mon maître ne m'a pas vaincu par sa force et son habileté, mais par un truc de l'art qu'il m'avait caché." A quoi le maître se justifia : "Je m'étais justement réservé cette prise pour une telle occurrence. Comme le sage nous l'a déjà enseigné, il ne faut jamais mettre entre les mains de son ami une arme avec laquelle — si jamais il nous devenait hostile — il pourrait nous blesser."

SAADI

Il me faut quelques bons amis, des amis qui me soient aussi familiers que la vie elle-même, des amis avec qui je n'ai pas besoin d'être poli; des amis qui me racontent leurs soucis, matrimoniaux ou autres; qui peuvent aussi bien citer Aristophane ou raconter une bonne histoire poivrée; des amis doués de richesse spirituelle, et qui peuvent parler de philosophie ou de scatologie avec la même candeur, des amis qui ont des opinions bien définies sur les choses et les personnes, qui possèdent leurs propres croyances et respectent les miennes.

LIN YUTANG

On voit qu'un ami est sûr quand notre situation ne l'est pas.

CICÉRON

POURQUOI JE T'AIME

Je t'aime non seulement
Pour cela que tu es, toi,
Mais encore et autant
Pour ce que je suis, quand je suis avec toi.

Je t'aime non seulement
Pour ce que tu as fait de toi,
Mais encore et autant
Pour ce que tu as fait de moi.

Je t'aime non seulement
Pour savoir si bien bride tirer
A mes élans de folie,
Mais encore et autant
Pour si gentiment la relâcher,
Quand le bien emporte ma vie.

Je t'aime non seulement
Quand tu fermes les oreilles
A mes accords dissonants,
Mais encore et autant
Quand en moi belle musique tu éveilles,
En m'écoutant religieusement.

Je t'aime encore et aussi
Quand, du bois brut de ma vie,
Tu m'aides à bâtir, par ton exemple
Non une taverne, mais un temple;
Et des mots que j'emploie en tout temps,
Non une complainte, mais un joyeux chant.

Je t'aime encore et de plus
Parce que tu as fait plus,
Pour me rendre heureux,
Que les formules et les dieux;
Et que, dans nos moments d'intimité,
J'ai pressenti un peu de l'éternité.

Et tout cela tu l'as fait
Sans jamais en parler,
Sans un geste ou un toucher,
Sans le moindre sous-entendre,
Et sans jamais rien prétendre;
En étant simplement ce que tu es.

Et parfois je me plais
A penser que, tout cela, Dieu l'a fait;
Et que ta main est la sienne
Que je sens dans la mienne;
Que — sans visage, puisque invisible —
Par toi il me devient visible.

"Why do I love you ?"
ROY CROFT

L'ADMIRATION DANS L'AMITIE

Un autre attribut essentiel de l'amitié, à mon sens, c'est l'admiration mutuelle. "Mais, direz-vous, il est de mes amis que je n'admire pas. Je les aime quand même, et leur dirais franchement mon manque d'admiration." Il y a ici confusion et besoin d'explorer plus à fond la réalité. Nous avons tous des amis à qui nous disons de dures vérités, et, de fait, il ne saurait y avoir d'amitié véritable sans ce genre de sincérité. Mais si nous pouvons endurer la critique d'un ami, la critique qui, venant d'un autre, nous fâcherait, n'est-ce pas justement parce que nous savons qu'il nous admire, au fond ? Je ne veux pas dire qu'il nous croit en possession de toutes les vertus ou qu'il nous trouve particulièrement intelligent. C'est plus complexe que cela. Je veux dire qu'il a considéré avec soin nos défauts et nos bonnes qualités et qu'il nous a choisi; mieux encore, il nous a préféré aux autres.

ANDRÉ MAUROIS

La jalousie, c'est un manque d'estime pour la personne qu'on aime.

IVAN BOUNINE

NOUVEAUX AMIS ET VIEUX AMIS

Fais-toi des amis nouveaux, mais garde les vieux.
Les premiers sont d'argent, les autres en or.
Nouvelles amitiés, tel le vin nouveau, d'accord,
L'âge renforcera et transformera en mieux.

Meilleures sont toujours les amitiés
Que temps et changements ont raffinées.
Front plissera et tempe grisonnera
Mais l'amitié jamais ne dépérira.

Il peut réellement être pris à part. et écrit sous aucun autre contexte.

Au milieu d'amis éprouvés et sûrs
La jeunesse on revit, après l'âge mûr,
Mais les vieux amis hélas, peuvent mourir,
Et les nouveaux raviveront leur souvenir.

Cultive bien tes amitiés, d'accord,
Nouvelles sont bien, mais vieilles sont mieux
Fais-toi des amis nouveaux, mais garde les vieux.
Les premiers sont d'argent et les autres en or.

                                   JOSEPH PARRY

C'est avec dérision qu'il se mit à rire
Quand ses ennemis, à tour de rôle, lui lancèrent une pierre;
Mais quand son ami lui lança une rose, en colère,
Toute la ville put l'entendre gémir.

                                   ANONYME

   *L'amitié peut se définir brièvement : "Une parfaite confor-
mité d'opinions sur tous les sujets religieux et civils, unie au plus
haut degré d'estime et d'affection mutuelles"; et pourtant, de ces
simples circonstances, résulte la bénédiction la plus désirable (à
l'exception de la vertu) que les dieux aient accordée à l'humanité.*

                                   CICÉRON

33

Le souvenir du bien que nous avons fait à ceux que nous aimons est la seule consolation qui nous reste quand nous les avons perdus.

Aimer, c'est la moitié de croire.

VICTOR HUGO

En cherchant la gloire, j'ai toujours espéré qu'elle me ferait aimer.

GERMAINE DE STAËL

Est-il rien de plus agréable en ce bas monde que de s'asseoir, avec trois ou quatre vieux camarades, devant une table bien servie, dans l'antique salle à manger de ses pères; et là, de s'attacher gravement la serviette au menton, de plonger la cuiller dans une bonne soupe aux queues d'écrevisses, qui embaume, et de passer les assiettes en disant : "Goûtez-moi cela, mes amis, vous m'en donnerez des nouvelles."

ERCKMANN-CHATRIAN

Un ami véritable se décharge librement, conseille justement, assiste promptement, s'aventure hardiment, accepte tout patiemment, défend courageusement, et reste toujours un ami inchangeablement.

Un sage compagnon n'est pas moins (...) qu'un frère.

HOMÈRE

C'est dans l'adversité que se révèlent les vrais amis.

EXPRESSION LATINE

Heureux celui qui a rencontré un ami digne de ce nom.

MÉNANDRE

A QUI DE DROIT

Christopher Morley, décédé le 28 mars 1957, a demandé à ses exécuteurs testamentaires d'employer cet espace "pour rappeler à plusieurs de mes amis bons et patients que mon amour pour eux n'a pas changé. Nos bonnes aventures et nos petites folies, je ne les ai pas oubliées, ni les moments de commune admiration de la beauté, ni les instants de commune désapprobation de la laideur. Je veux particulièrement m'excuser pour avoir, au cours des années, laissé tant de lettres sans réponse. Leurs messages, de quelque nature qu'ils fussent, me furent souvent présents à l'esprit. J'avais plusieurs raisons de leur en être reconnaissant; et je l'ai été."

TIMES DE NEW-YORK, 1ER AVRIL 1957

Quand c'est un ami qui demande, il n'y a pas de demain.

PROUST

Celui qui cherche un ami sans défaut reste sans ami.

PROVERBE TURC

On peut perdre le plaisir d'avoir un ami, mais jamais celui d'en avoir possédé un.

SÉNÈQUE

Il n'est rien de si grand que j'aie peur de le faire pour un ami; rien de si petit que j'aie dédain de faire pour lui.

L'amitié véritable est une plante à croissance lente, qui doit subir et surmonter les chocs de l'adversité avant d'avoir droit à cette appellation.

GEORGE WASHINGTON

Si on ne peut plus tricher avec ses amis, ce n'est pas la peine de jouer aux cartes.

MARCEL PAGNOL

Aux premières lueurs de l'aube, le soleil qui trouve deux époux enlacés dans les bras l'un de l'autre, ne contemple ni bonheur plus grand ni repos plus doux, à travers les vitres de cristal, sous les lambris dorés, que lorsqu'il pénètre à la même heure par les fentes d'une pauvre chaumière, et qu'il voit deux corps ne formant qu'une âme.

FÉLIX LOPE DE VEGA

Les poètes nous aident à aimer : ils ne servent qu'à cela. Et c'est un assez bel emploi de leur vanité délicieuse.

ANATOLE FRANCE

Chez soi, c'est là où l'on se sent aimé.

Les défauts sont épais, là où l'amour est mince.

PROVERBE RUSSE

Le coeur qui aime est toujours jeune.

PROVERBE GREC

Mieux vaut avoir aimé et perdu que de n'avoir jamais aimé du tout.

ALFRED TENNYSON

Qu'est-ce que l'amour ? J'ai rencontré dans la rue un jeune homme très pauvre qui était amoureux. Un vieux chapeau, un manteau tout usé, des chaussures qui prenaient l'eau et les yeux pleins d'étoiles !

VICTOR HUGO

Jusqu'au jour où j'aimai réellement, je fus seule dans la vie.

CAROLINE NORTON

Il n'y a pas de plaisir comparable à celui de rencontrer un vieil ami, excepté peut-être celui d'en faire un nouveau.

RUDYARD KIPLING

PRIERE POUR L'AMITIE

Dieu, qui vous nous avez donné l'amour des femmes et l'amitié des hommes, gardez bien vivace en nos coeurs le sens de l'amitié et de la tendresse; faites que nous oubliions les offenses et nous souvenions des services; ceux que nous aimons, protégez-les en toutes choses et suivez-les avec bonté, afin qu'ils puissent mener des vies simples et exemptes de souffrance et, à la fin, mourir facilement en toute tranquilité d'esprit.

ROBERT LOUIS STEVENSON

Il est des hommes, dit Socrate, qui mettent tous leurs soins à cultiver des arbres pour en recueillir les fruits, et qui ne s'occupent qu'avec paresse et insouciance de ce bien le plus productif de tous, qu'on appelle un ami.

XÉNOPHON

Un frère est un ami donné par la nature.

GABRIEL LEGOUVÉ

Toutes les grandeurs de ce monde ne valent pas un bon ami.

FRANÇOIS-MARIE AROUET (Voltaire)

Si on me presse de dire pourquoi je l'aimais, je sens que cela ne peut s'exprimer qu'en répondant : "Parce que c'était lui, parce que c'était moi".

MONTAIGNE

Il n'existe pas pour l'homme, aussitôt qu'il se sent libre, de souci plus constant, ni plus cuisant que de trouver quelqu'un à adorer.

FÉDOR DOSTOÏEVSKY

Il est plus honteux de se défier de ses amis que d'en être trompé.

LA ROCHEFOUCAULD

37

Une femme qui sanglote dans le noir, derrière les volets, c'est pour moi quelqu'un qui implore un peu d'amour.

HENRY MILLER

On cesse de s'aimer si quelqu'un ne nous aime.

GERMAINE DE STAËL

Il ne faut choisir pour épouse que la femme qu'on choisirait pour ami, si elle était homme.

JOUBERT

Les livres, commes les amis, devraient être peu nombreux et bien choisis.

SAMUEL PATERSON

AMI : quelqu'un qui sait tout de vous et vous aime quand même.

AMI : Un cadeau que l'on se fait à soi-même.

ROBERT LOUIS STEVENSON

L'amour, c'est l'amitié mise en musique.

POLLOCK

Ce qu'on peut faire pour un autre, voilà le test de sa puissance; ce que l'on peut souffrir pour un autre, voilà l'épreuve de l'amour.

L'absence est à l'amour ce que le vent est au feu; il éteint les petits, mais il excite les grands.

COMTE DE BUSSY-RABUTIN

LES FEMMES ET L'AMOUR

Un mot venant du coeur peut récompenser tellement de sacrifices et nous faire oublier tellement de peines! Le coeur est si riche!... Mais le nombre est trop grand des hommes qui en dispensent les trésors aussi pauvrement que l'avare donne son or : il l'enterre et personne n'en tire de bénéfices.

MATHILDE FROMENT-BOURBON

Nous, les femmes, nous avons des esprits capables de vibrer; rien ne nous semble si doux que d'être comprises par celui que notre coeur chérit. A moins d'avoir cette certitude, notre bonheur est gâté, ainsi que toutes les joies de notre vie.

MADAME EMMELINE RAYMOND

Dans toute amitié, si incomplète et si troublée qu'elle soit, il existe des attaches plus fortes et plus durables que les luttes d'intérêt et les accès de colère. Nous pensons parfois détester les gens que nous aimons. Des montagnes de disputes nous séparent d'eux; souvent, un mot suffit pour franchir ces montagnes.

GEORGES SAND

En amour, il ne faut jamais désespérer. On croit parfois qu'il est mort, que le feu est éteint, et qu'il a tout brûlé, tout dévasté, pour ne laisser que des cendres; puis vient un passant, un voyageur qui, du bout de son fouet, fait jaillir une étincelle du foyer que l'on croyait mort. On y jette quelques feuilles sèches, une brassée de bois, et, dans dix minutes, le feu sera aussi brillant qu'il était hier.

MARIE DUMAS

L'homme dont le coeur était fait pour aimer ne se demande pas si l'objet de son amour est digne de lui. Dès qu'il aime, il n'examine pas le passé; il jouit du présent et il croit à l'avenir.

Si la raison lui dit qu'il y a dans ce passé quelque chose à pardonner, il pardonne dans le secret de son coeur, sans se vanter de sa générosité comme s'il s'agissait d'une merveille.

GEORGES SAND

Pour entretenir l'amour, il faut qu'il y ait des différences de goûts et d'opinions, il doit y avoir de petites souffrances, des pardons, des pleurs, tout ce qui peut exciter la sensibilité et éveiller la sollicitude quotidienne. L'amitié est plus joyeuse, plus calme; c'est le refuge contre tous les maux de la vie, une consolation contre toutes les souffrances.

MARIE CAPPELLE

TOAST A MA BIEN-AIMEE

Nous avons uni nos deux vies et nos amours
Durant bien des années, malgré leurs changements.
Nous avons doublé nos joies en les partageant
Et chacun pleuré les pleurs de l'autre à son tour.

Je n'ai, pour ma part, jamais eu de chagrin
Qui ne fût bientôt dissipé par ta présence :
Ton sourire a toujours, comme le soleil du matin,
Chassé les brumes de mon existence.

Et je souhaite que tout l'avenir nous soit
Comme le passé, chargé d'amour et plaisant.
Je partagerai tes peines comme tes joies
Et tu me donneras ton sourire rayonnant.

AUTEUR INCONNU

Lorsque je diffère d'opinion avec une jolie femme, je ne lui en veux pas d'avoir tort; je m'en veux même un peu d'avoir raison.

J.-C. ALLARD

Chagrin d'amour ne dure qu'un moment,
Plaisir d'amour dure toute la vie.

Il n'y a point de vieille femme. Toute, à tout âge, si elle aime, si elle est bonne, donne à l'homme le moment de l'infini.

MICHELET

Au lieu d'aimer nos ennemis, traitons donc nos amis un peu mieux.

EDWARD HOWE

On n'aime que les femmes qu'on rend heureuses.

MARCEL ACHARD

Les vieux amoureux, dans leurs effusions, aiment à se dire : "Te souviens-tu ?" Voilà qui possède presque autant de charmes que l'éternel "M'aimes-tu ?".
Les deux signifient la même chose, puisque la ressouvenance ne sourit qu'à ceux-là dont le présent est une approbation du passé.

JULIETTE LAMBERT

L'AMOUR

Il faut un rêve bleu pour enfanter la vie
Il faut bien, en marchant, fredonner un refrain.
Et l'amour, après tout, c'est la chanson jolie
Qui fait joyeux le soir, plein d'espoir le matin.

P.C.

Après Dieu, c'est aux femmes que nous devons ensuite rendre grâces, d'abord de nous avoir transmis la vie, et ensuite, de nous la rendre agréable à vivre.

CHRISTIAN BOVEE

SUCCÈS

3

SUCCES

Si tu veux une chose avec assez d'ardeur
Pour te battre pour elle,
Travailler jour et nuit pour elle,
Sacrifier temps, paix, et sommeil pour elle.
Si ton désir pour elle
Te tient assez au coeur
Pour ne jamais te lasser d'elle,
Et s'il te rend toutes choses viles sans elle;
Si la vie semble vide et inutile sans elle
Si tu emploies tes rêves et tes calculs à elle.
Si les sueurs de ton front sont pour elle,
Tes tracas pour elle,
Tous tes plans pour elle;
Si tu oublies toute peur des hommes pour elle;
Si tu poursuis cette chose que tu veux
De toutes tes capacités,
De toute ta force et ta sagacité,
Avcc foi, espoir, confiance et obstination;
Si la pauvreté, la faim ni la privation
Ni la maladie, ni la douleur,
Du corps ou de l'esprit
Ne peuvent en détourner ton coeur,
Si tu la poursuis et la pourchasses ainsi,
Tu l'obtiendras, mon vieux !

BERTON BRALEY

Celui qui réalise ses ambitions a atteint le succès; celui qui parvient au bonheur a réussi sa vie.

P. C.

SEULEMENT POUR AUJOURD'HUI...

SEULEMENT POUR AUJOURD'HUI, je vais essayer de vivre seulement cette journée sans me préoccuper des problèmes de demain. Je peux faire pendant douze heures des choses qui m'effraieraient si je pensais devoir les faire pendant toute ma vie.

SEULEMENT POUR AUJOURD HUI, je serai heureuse (heureux). Abraham Lincoln avait coutume de dire : "La plupart des gens sont heureux dans la mesure où ils ont décidé de l'être."

SEULEMENT POUR AUJOURD'HUI, je vais m'adapter aux événements et non essayer d'adapter les choses à mes propres désirs. Je ferai ma chance moi-même.

SEULEMENT POUR AUJOURD'HUI, je vais essayer d'améliorer mon esprit; j'étudierai, j'apprendrai quelque chose d'utile. Je ne serai pas un cerveau paresseux; je lirai quelque chose qui requiert de l'effort, de l'application et de la concentration.

SEULEMENT POUR AUJOURD'HUI, je vais entraîner mon âme à trois choses : Je ferai du bien à quelqu'un et n'en parlerai pas ... et si quelqu'un l'apprend, je n'en tirerai pas gloire. Je ferai au moins deux choses que je n'aime pas faire ... Tout simplement pour exercer ma volonté. Je ne laisserai pas voir mon désappointement si quelqu'un me blesse; j'aurai probablement une peine quelconque, mais je ne la laisserai pas voir.

SEULEMENT POUR AUJOURD'HUI, je vais être aimable. Je paraîtrai à mon avantage, je m'habillerai avec soin, parlerai doucement, agirai avec courtoisie, ne critiquerai personne, ne trouverai de faute chez personne et n'essaierai de corriger personne autre que MOI-MEME.

SEULEMENT POUR AUJOURD'HUI, je vais me tracer un programme. Je ne pourrai peut-être pas le suivre à la lettre, mais J'ESSAIERAI. Je me défendrai de deux dangers : L'INDECISION ET LA PRECIPITATION.

SEULEMENT POUR AUJOURD'HUI, je vais me réserver une demi-heure pour moi-même et je "relaxerai". Durant cette demi-heure, j'essaierai d'avoir une meilleure perspective de ma vie.

SEULEMENT POUR AUJOURD'HUI, je n'aurai pas peur ... Je n'aurai surtout pas peur de profiter de ce qui est BEAU et BON ... et je me rappellerai que "L'ON RECOLTE CE QUE L'ON SEME".

SYBYL PARTRIDGE

MON PLUS GRAND ATOUT

L'habileté que j'ai de susciter l'enthousiasme chez les hommes, voilà ce que je considère comme le plus grand atout que je possède; parce que le secret de faire sortir le meilleur d'un homme, c'est l'appréciation et l'encouragement.

Il n'y a rien qui tue aussi sûrement l'ambition d'un homme que les critiques de ses supérieurs. Je ne critique jamais personne. Je suis de ceux qui croient à la nécessité d'un aiguillon au travail. Voilà pourquoi je suis prompt à louanger et lent à trouver des défauts. Si j'aime quelque chose, je suis vif d'appréciation et généreux de louanges.

CHARLES SCHWAB

Même un maringouin ne reçoit pas de tape dans le dos avant d'avoir commencé à travailler.

Et maintenant il me semble que pratiquement tous et chacun de nous peut, comme l'araignée, tisser à même sa vie intérieure sa propre citadelle aérienne.

KEATS

MON GARÇON

Quand tu as lutté et perdu le combat,
Mon garçon,
Ne me donne babillage plat,
Mon garçon.
Viens, tête haute, avec un sourire franc,
A recommencer tout prêt, immédiatement;
La victoire, c'est pas seulement au gagnant,
Mon garçon.

Et si la chance t'a manqué,
Mon garçon,
Ne le raconte aux autres, apitoyé,
Mon garçon.
Même si le fruit est amer au goûter,
En étant un homme, tu le rends plus doux.
Dis : "J'ai essayé, mais manqué mon coup",
Mon garçon.

Ne reviens pas avec une pauvre excuse,
Mon garçon.
Et la leçon du sport ne refuse,
Mon garçon.
Ne blâme la malchance, pour la partie,
Ni la faute d'Untel, pardi;
Dire : "Je l'ai perdue", cela suffit,
Mon garçon.

Prends la défaite sans piauler,
Mon garçon;
Sans t'enrager ou te chagriner,
Mon garçon.
Il n'y a qu'un moyen, je te le gage !
Tu peux tourner tout à ton avantage :
Sois homme; avale la pilule sans ambages,
Mon garçon.

On gagne toujours la partie,
Mon garçon,
Quand une fois on a appris,
Mon garçon,
Que la seule chose à gagner,
C'est de savoir, sans se décourager,
Etre toujours prêt à recommencer,
Mon garçon.

"Boy o'mine"
EDWARD GUEST

Chaque jour est un sillon, là, devant nous; nos pensées, nos désirs et nos actions sont les semences qu'à chaque minute nous y laissons tomber, apparemment sans le réaliser. Le sillon fini, nous en commençons un autre, puis un autre, et encore un autre; chaque jour apporte le sien, et cela, jusqu'à la fin de la vie... Nous semons, nous semons toujours. Et cela que nous avons semé surgit, croît, et porte des fruits, apparemment à notre insu... N'y a-t-il pas là une pensée qui doive nous faire réfléchir?

CHARLOTTE YONGE

*Par manque d'un clou,
Le fer fut perdu.
Par manque d'un fer,
Le cheval fut perdu;*

*Et le cavalier fut perdu avec son cheval,
A cause d'un clou de fer à cheval.*

GEORGE HERBERT

Il est IMPOSSIBLE de perdre son temps. Le "temps perdu" sert toujours à quelque chose: perdre son temps, c'est l'employer à faire des trous dans le tissu de sa vie.

PIERRE CLÉMENT

LE SALAIRE DE LA VIE

J'ai fait marché avec la vie pour un dollar
Et la vie n'a pas voulu me donner davantage,
Malgré mes demandes une fois rendu au soir,
Quand je comptai mes misérables gages.

Parce que la vie est une employeuse exacte
Qui vous donne ce que vous demandez;
Mais une fois que votre prix est accepté
Impossible de revenir sur votre pacte.

Pour un salaire de quêteux j'ai travaillé,
Pour apprendre sur la fin de mes ans
Que tout montant que j'aurais demandé
Avec plaisir la vie me l'eût payé également.

"My wage",
JESSIE B. RITTENHOUSE

Un gars chanceux, dites-vous? Non. Sa chance a été PRO-DUITE par une bonne mère, une bonne constitution, l'habitude du travail, l'énergie indomptable, la détermination de ne pas admettre la défaite, un esprit de décision inébranlable, la concentration, le courage, la maîtrise de soi, le pouvoir de dire non et ne plus branler, la stricte intégrité, l'honnêteté, une joyeuse disposition, l'enthousiasme et de hauts idéaux noblement poursuivis.

ORISON SWET MARDEN

Plus je vis et plus profondément je suis convaincu de ceci : la différence entre un homme et un autre homme — entre le faible et le puissant, le grand et l'insignifiant, c'est l'énergie, une invincible détermination, un but une fois bien formulé, et après, la victoire ou la mort.

CHARLES BUXTON GOING

Haïr les gens, c'est comme brûler sa maison pour se débarrasser d'un rat.

LES BONS COUPS DE LA MALCHANCE

Dans un grand magasin de Paris s'amène un jeune inconnu pour offrir sa "ligne" de parfums qu'il venait de produire lui-même, et qu'il espérait vendre à la grande maison. Mais l'acheteur ne voulut pas l'écouter et ne lui permit même pas d'ouvrir sa valise d'échantillons.

Embarrassé et gêné par cette réception brutale, le jeune homme se tourna pour s'en aller. Soudainement, comme il franchissait la porte, la bouteille qu'il tenait dans ses mains tremblantes tomba à terre et se brisa. L'odeur enchanteresse, qui se dégagea à la suite de l'accident, envahit immédiatement le nez des grandes dames qui se tenaient au comptoir des parfums.

"C'est ça que nous voulons", firent-elles en choeur.

L'acheteur maintenant décontenancé dut céder à la demande de ses grosses clientes et donner une première commande au jeune homme.

Et c'est ainsi que débuta dans la carrière, le grand parfumeur de réputation internationale, François Coty.

La malchance, c'est la chance en habits de travail.

EDWARD L. KRAMER

NE MENAGE PAS TROP TA MONTURE

Après beaucoup d'expérience et d'observation, j'en suis arrivé à la conviction que l'industrie est un meilleur cheval à enfourcher que le génie. Peut-être ne mènera-t-il pas son homme aussi loin que le génie a mené certains individus, mais l'industrie, l'industrie patiente, régulière et intelligente en amènera des centaines vers le confort, voire la célébrité; et elle le fera avec une certitude absolue.

WALTER LIPPMAN

Avec les mêmes briques, on bâtit un palais ou un réduit. Tout dépend des plans et de l'ouvrier.

PIERRE CLÉMENT

QUAND LA NATURE VEUT FAIRE UN HOMME

Quand la Nature veut dresser un homme
Et faire tressaillir un homme,
Quand la Nature veut forger un homme
Et habiliter un homme,
Au plus noble des rôles qu'elle a,
Quand, de tout son coeur, elle veut
Créer un homme si grand et audacieux
Que le monde entier l'honorera,
Voyez sa méthode; regardez ses moyens !
Comme elle parfait sans pitié,
Celui qu'un choix régal a désigné.
Comme elle le martèle et le heurte bien
Et le transforme à grands coups drus
En ébauches que seule la Nature comprend.
Il gémit; il lève les mains, suppliant;
Elle le replie, sans jamais le briser.
Quand son bien elle a décidé
Comme elle use de celui qu'elle a élu !
Comme dans tous les sens elle le pétrit !
Quand de tout son coeur elle l'induit
A subir la splendeur qu'elle est à faire
La Nature connaît son affaire.

Quand la Nature veut prendre un homme
Et secouer un homme
Et réveiller un homme,
Quand elle veut tailler un homme
Aux dimensions du futur,
Quand elle veut de toute son âme,
De toutes ses forces s'employer dur
A le créer complet et grand d'âme
Avec quelle adresse elle le façonne !
Comme, sans répit, elle le talonne !
Comme elle l'excite et le tourmente
Et dans la pauvreté l'enfante.

49

Combien souvent elle désappointe
L'âme qu'elle a choisie et ointe.
Avec quelle sagesse à l'ombre elle le rive
Insouciante de ce qui lui arrive.
Quand son génie pleure d'être méconnu,
Et que son orgueil veut être connu :
Elle veut qu'il travaille plus fort.
Elle l'esseule afin que de Dieu seul, alors,
Les hauts messages puissent lui arriver
Afin de bien lui enseigner
Ce que la Hiérarchie a décidé.
Sans que son esprit puisse comprendre
Elle lui donne des passions à brider.
Comme elle éperonne sans remords,
En lui donnant une ardeur sans mors,
Celui que de sa poigne elle veut entreprendre.

Quand la Nature veut marquer un homme
Et célébrer un homme
Et dompter un homme;
Quand la Nature veut enfiévrer un homme
A se prouver digne du ciel,
Quand elle le somme à la plus dure épreuve
Que sa science recèle;
Quand elle le bride et le retient
Tellement que son corps à peine le contient
Tandis qu'elle l'inspire
Et attise ses désirs;
Au vase de Tantale elle l'abreuve;
Elle séduit son âme, puis la lacère
En donnant à son esprit tel haut repère
L'élevant encore quand il va toucher le but;
Lui fait une jungle à défricher,
Puis un désert pour l'apeurer :
Qu'il le maîtrise s'il le peut ! en somme,
Ainsi la Nature travaille son homme.
Puis, pour l'éprouver encore un peu plus,

Elle flanque une montagne sur ses pas
Et lui offre le choix terrible, à la fin,
Disant : "Choisis : l'escalade ou le trépas."
Voyez sa méthode; regardez ses moyens !

Le plan de la Nature est pourtant bon,
Si l'on comprenait ses raisons.
Ceux qui la disent aveugle sont fous,
Quand ils le voient, pieds déchirés et saignants,
Poussé par des pouvoirs plus puissants
Ouvrir des sentiers nouveaux, pour tous.
Quand sa force qui tient du divin
Accourt à chaque nouveau besoin
Quand la défaite et la désespérance
Ne suscite chez lui qu'amour et espérance,
Une crise vient ? Il suffit d'un cri
Et le chef sur le moment surgit.
Quand la Nature a besoin d'un sauveur
C'est lui qui sera le meneur
La Nature prouve sa méthode bonne, en somme,
Quand le monde a enfin trouvé . . . un homme."

"When Nature wants a man"
ANGELA MORGAN

Ne cherchez pas ce que les gens peuvent faire pour vous, mais bien ce que VOUS, vous pouvez faire pour les gens, et vous mourrez très certainement riche.

ANONYME
Repris par l'ex-président Kennedy

Un homme EST ce qu'il pense à coeur de jour.

RALPH WALDO EMERSON

La flèche a déjà atteint son point d'arrivée avant d'avoir laissé l'arc.

PROVERBE ZEN

51

Un navire va vers l'Est et un autre vers l'Ouest,
Des vents identiques les poussent pourtant :
C'est la voilure et non le vent
Qui détermine la route que l'on suit.

ELLA WHEELER WILCOX

La vie est un miroir qui renvoie à tout homme la réflexion de son propre visage. Renfrognez-vous, et elle vous regarde d'un air renfrogné; riez d'elle et avec elle, et elle devient un compagnon joyeux et bon.

WILLIAM THACKERAY

Les plus exquises pièces de sculpture que firent jamais Michel-Ange ou Rodin furent tout simplement — A UN MOMENT DONNE — une pensée.

THÉODORE L. CUYLER

Les grandes choses n'arrivent jamais véritablement, pour qui que ce soit; c'est-à-dire, les grandes choses sont toujours un essaim d'innombrables petites choses, qui nous semblent d'insignifiants atomes alors que nous les passons, et nous apparaissent comme un essaim seulement lorsque nous les avons dépassées.

MME CHARLES

Heureux ceux qui furent insultés de l'une et l'autre rive, parce qu'ainsi ils purent naviguer tranquilles au milieu du large fleuve où le courant est plus rapide et l'air plus frais.

GIOVANNI PAPINI

Un idéal, c'est un autre moi-même qui m'attire vers lui comme un aimant; c'est le vrai moi dont je ne suis encore que l'ombre.

P. CLÉMENT

Il y a bien des manières de ne pas réussir, mais la plus sûre est de ne jamais prendre de risques.

BENJAMIN FRANKLIN

Celui qui craint la défaite limite ses propres activités. La défaite est tout simplement la chance de recommencer plus intelligemment.

HENRY FORD

C'est dur d'empêcher un bon homme de percer, mais c'est encore plus difficile de retenir un homme médiocre qui a un bon agent de publicité.

Celui qui ne soigne pas bien ses aujourd'hui gaspillera bien des demain à réparer ses hier.

PIERRE CLÉMENT

Celui qui a l'amour au coeur a des éperons à ses côtés.

GEORGE HERBERT

A peu près le seul exercice que certains font, c'est de sauter aux conclusions.

Un problème bien énoncé est à moitié résolu.

Rien de grand n'a jamais été accompli sans l'aide de l'enthousiasme.

EMERSON

La patience est le meilleur remède à tous les problèmes.

PLAUTUS

Le boulevard qui mène à la distinction doit être pavé par des années de sacrifice et de dur labeur.

LE CODE DE SUCCES HILTON

1 — Sachez découvrir votre talent bien particulier.
2 — Voyez "Grand".
3 — Soyez honnête.
4 — Vivez avec enthousiasme.
5 — Ne vous laissez pas posséder par vos possessions.
6 — Ne vous faites pas de soucis pour vos problèmes.
7 — Regardez les gens de bas, quand vous pouvez, jamais de haut.
8 — Ne vous accrochez pas au passé.
9 — Acceptez votre pleine part de responsabilité dans le monde.
10 — Priez avec constance et avec confiance.

CONRAD H. HILTON,
président de la chaîne d'hôtels Hilton

Sur leurs écrits à peine un jour de gloire a lui :
Le temps n'épargne pas ce qu'on a fait sans lui.

FRANÇOIS PAYOLLE

Le succès n'est jamais final et l'insuccès jamais fatal : c'est le courage qui compte.

Le travail ! La seule chose qu'on ne regrette jamais.

PIERRE BENOÎT (KOENIGSMARK)

Le meilleur ouvrier est celui qui aime son travail.

Lorsque vos réalisations parlent pour vous, pourquoi les interrompre ?

HENRY J. KAISER

Celui qui réussit est celui qui a décidé de réussir et commencé à travailler ... Celui qui faillit est celui qui a décidé de réussir et s'est mis à attendre.

Les idéals sont comme les étoiles; vous ne pouvez jamais les atteindre avec vos mains, mais comme l'homme sur la mer, ou dans le désert, vous les prenez comme guides, et, en les suivant, vous atteignez votre destinée.

CARL SHURZ

Si vous ne pouvez l'écrire, ET LE SIGNER, pourquoi le dire ?

EDWARD L. KRAMER

Lorsque je ne puis arranger les événements, je les laisse s'arranger tout seuls.

HENRY FORD

FRATERNITÉ

4

JE SAIS QUELQUE CHOSE DE BIEN SUR TOI

Ne serait-ce pas un monde meilleur,
S'ils disaient, ceux qu'on rencontre, parfois :
"Je sais quelque chose de bien sur toi",
Nous laissant sentir que ça vient du coeur ?

La vie serait "formidable", ma foi,
Si chaque poignée de mains, franchement,
Nous apportait ce message rassurant :
"Je sais quelque chose de bien sur toi".

La vie ne serait-elle plus heureuse,
Si le bien qui est en chacun de nous
Etait la seule chose que chacun et tous,
Se chargeraient de nous rappeler un peu ?

Ne serait-il pas plus sage et gentil
De cultiver cette attitude d'esprit :
"Tu sais quelque chose de bien sur moi,
Mais je sais aussi un brin de bien de toi" ?

LOUIS C. SHIMON
"I know something good about you"

Oh ! Comme chaque soir me semblerait meilleur
Si, en repassant mentalement ma journée,
Je pouvais me dire : "Il y a plus de bonheur
Dans le monde parce que moi, j'y suis passé."

P.C.

LA FAÇON DE LE DIRE

Ce n'est pas tellement ce qu'on dit
Que la manière dont on le dit
Ce n'est pas tant les mots employés,
Que le ton dont ils sont prononcés.
"Viens ici", dis-je rudement,
Et l'enfant se terra en pleurant.

Je lui dis : "Viens ici".
Il me regarda et sourit,
Et vite sur mes genoux sauta;
C'est mon ton qui le rassura.
Même les mots doux et bons
Peuvent darder par leur ton.

Des mots doux comme brise d'été
Par leur ton un coeur peuvent briser
Car les mots viennent du cerveau,
L'art et l'étude les multipliant.
Mais le ton vient du dedans
Et montre du coeur l'état.
Qu'on le sache ou le sache pas,
Le ton, c'est l'âme vraie des mots.

Qu'on le veuille ou non
Qu'on en ait souci ou pas
Douceur, bonté, amour, haine,
Envie, colère, tout est là.
Voulons-nous querelles éviter ?
Paix et harmonie garder ?
Des mots notre colère éliminons,
Mais aussi et surtout, de notre ton !

AUTEUR INCONNU

Les seules gens à qui on devrait régler leur compte sont ceux-là qui nous ont aidés.

POUR QUI SONNE LE GLAS ?

Cette cloche qui sonne en sourdine pour un autre, elle me dit à moi-même : "Tu vas mourir !"

Celui pour qui sonne ce glas, peut-être est-il malade au point d'ignorer qu'il sonne pour lui ?

Et peut-être que moi-même je me pense beaucoup mieux que je suis, tandis que ceux qui m'entourent et connaissent mon état — peut-être — l'ont fait sonner pour moi !

L'église est catholique, c'est-à-dire universelle; aussi les gestes qu'elle pose nous concernent-ils tous.

Lorsqu'elle baptise un enfant, ce geste me concerne, parce que cet enfant est par là relié à une tête qui est aussi ma tête; il est greffé sur un corps dont je suis moi-même un membre.

Et lorsqu'elle enterre un homme, ce geste m'engage encore.

L'humanité toute entière est l'oeuvre d'un seul auteur et constitue un seul livre. Quand un homme meurt, ce n'est pas qu'un chapitre ait été arraché du livre, mais qu'il a été traduit en une langue plus belle. Et chaque chapitre doit être ainsi traduit à son tour. Dieu emploie plusieurs traducteurs. Quelques pièces sont traduites par l'âge; certaines par la maladie, d'autres par la guerre et d'autres encore par la justice, mais la main de Dieu se voit dans toutes les traductions.

Et cette même main rassemblera tous nos membres éparpillés pour les réunir dans cette bibliothèque où tous les livres seront ouverts, l'un à l'autre.

Comme la cloche qui sonne pour le sermon n'appelle pas que le prêcheur mais toute la congrégation, ainsi ce glas nous appelle-t-il tous, mais combien plus il m'appelle moi-même qui suis emporté si près de la porte par cette maladie.

La cloche sonne pour celui-là qui le pense; même si elle se tait après un instant, à cet instant et par cette occasion qui lui est imposée, l'homme se rappelle à son Dieu.

Qui ne porte les yeux vers le soleil à son lever ? Mais qui peut les détourner de la comète qui surgit ? Qui ne tend l'oreille vers toute cloche qui en aucunes occasions sonne, mais qui peut la détourner de cette cloche qui déclare le passage hors de ce monde d'une partie de lui-même ?

Aucun homme n'est un îlot, complet en lui-même. Tout humain est une partie du continent, un morceau du tout. Lorsqu'une motte de terre est emportée par la mer, l'Europe est amoindrie, tout comme s'il s'agissait d'un promontoire ou d'un manoir à vous, ou de celui d'amis à vous. La mort de tout humain me diminue parce que je suis partie de l'humanité.

Aussi, ne cherche jamais pour qui sonne le glas; il sonne pour toi !

JOHN DONNE
(Il est était alors gravement malade au lit)

QUAND ON EST LOIN DE CHEZ SOI

Parfois, quand on est loin de chez soi
Et que tout semble étranger et froid
On dirait que l'oreille se tend
A l'affût d'un mot d'encouragement.

Bon Dieu, ça vous donne envie de siffler
Lorsqu'un gars vient vers vous
Et vous traite un peu comme un ami,
Quand on se sent triste et esseulé.

Pas besoin de grand-chose pour vous stimuler
Et vous redonner le goût de continuer
Ça peut être un petit rien du tout,
Qui vous change du tout au tout.

Une poignée de main en passant
Ou, simplement, un "Comment ça va ?" joyeux
Mais ça vaut un paquet d'argent
Quand on se sent triste un peu.

ANONYME

Celui qui a toujours eu bonne digestion ne peut comprendre ce que c'est qu'un mal de ventre.

Un cheval ne peut pas tirer en ruant,
J'en fais tout simplement mention.
Et il ne peut ruer en tirant,
Ce qui est ma maîtresse prétention.

Imitons donc le bon vieux cheval,
Je crois que c'est un conseil idéal.
Contentons-nous tout simplement de tirer
Et nous n'aurons pas le temps de ruer.

AUTEUR INCONNU
"Horse Sense"

C'EST DROLE...

C'est drôle, mais c'est bien vrai
Que celui qu'on n'aime pas nous hait.
Je ne sais pourquoi il en est ainsi,
Mais, tout de même, je l'ai bien vu :
Quand je fais "gueule de bois", les amis ont disparu;
Quand je suis "avenant", les autres le sont aussi.

Parfois, je me réveille le matin
En souhaitant de n'être jamais née.
Je lâche quelques mots vinaigrés,
Et, alors, ceux qui m'entourent, aussi bien,
Voudraient me voir — moi aussi — bien loin,
Au lieu de leur montrer mon visage chagrin.

Mais, dès que je me change le visage,
Chantant et souriant, sitôt que je l'ai fait,
Les gens autour chantent et sourient.
Ça doit être contagieux, tout ça, je gage,
Oui, c'est drôle, mais c'est bien vrai,
Que ceux qu'on aime à tout coup nous aiment aussi.

LUCILE CRITES
"Folks and me"

LA MERE DE QUELQU'UN

Elle était vieille, en haillons, toute grise,
Et son dos courbait sous l'hivernale brise.

Une neige récente couvrait le trottoir glissant
Et ses pieds lourds allaient difficilement.

Elle attendait depuis longtemps à la croisée,
Seule, abandonnée par la foule pressée.

Les gens se hâtaient vers leur chez-eux
Insouciants du quémandement de ses yeux.

Puis vinrent des gars, comme un tourbillon,
Piétinant la neige, et jouant à saute-mouton.

Ils passaient près de la vieille toute grise
Sans même voir comment elle était mal prise.

Ils ne pensaient même pas à lui donner le bras;
La vieille faible et timide, n'osait bouger de là.

De peur des carosses ou des sabots :
La chaussée était sillonnée de chevaux.

Vint enfin le dernier de la troupe
Le plus enjoué de tout le groupe.

Il s'approcha, pour doucement lui murmurer :
"Je puis vous aider à traverser, si vous voulez."

Sa vieille main, sur son bras fort elle posa
Toute heureuse de se voir tirée d'embarras.

Le garçon guida ses pas tremblants
Fier de se sentir homme, cet enfant.

Puis il retourna à ses amis qui l'attendaient
Son jeune coeur bien content de son haut fait.

"C'est la mère de quelqu'un, vous savez, les gars,
Malgré son âge et la lenteur de ses pas.

"Et je souhaite qu'un autre en fasse autant
Pour ma mère, si jamais vient le temps,

"Qu'elle soit pauvre, vieille, et dans le besoin
Alors que son garçon serait bien loin."

Et la "mère de quelqu'un" pencha la tête bas
Ce soir-là, en faisant sa prière tout bas.

Disant : "Mon Dieu, soyez gentil pour ce noble garçon
Qui est le fils de quelqu'un, et leur joie, étant si bon."

MARY DOW BRINE

Il s'attache toujours un peu de parfum à la main qui vous donne des roses.

PROVERBE CHINOIS

Dieu lui-même, Monsieur, ne se propose pas de juger un homme avant la fin de ses jours.

SAMUEL JOHNSON

Les frontières fabriquées par les hommes ne peuvent séparer en permanence les peuples qui veulent être amis. Ce sont les humains qui comptent et non pas les frontières.

Le manquemant le plus grave envers notre prochain, ce n'est pas de le haïr, mais bien de lui être indifférent. C'est là l'essence de l'inhumanité.

BERNARD SHAW

DITES-LE MAINTENANT

Avez-vous un ami digne d'être aimé ?
Aimez-le ! Oui, et laissez-lui savoir
Que vous l'aimez, avant que de la vie le soir
Estompe son front après le soleil couché.
Pourquoi retenir ces mots qui vous honorent
Et votre ami, jusqu'à temps qu'il soit mort ?

Lorsque d'un air vous êtes touché,
Venant de quelque artiste du chant,
Louangez-le ! Ne laissez pas chanteur
Attendre trop longtemps los mérité.
Pourquoi, à tel qui enchante votre coeur
Refuser la joie qui de vous dépend ?

Entendant une prière qui vous émeut,
Par son humilité et sa divinité,
Joignez-vous-y ! Ne laissez pas seul prier
Celui qui sait sentir la présence de Dieu.
Pourquoi donc refuser à votre frère
Cette force de "deux ou trois en prière" ? *

Si vous voyez les pleurs chauds tombant
Des yeux d'un frère sanglotant,
Partagez-les ! Et par votre participation,
Ressentez votre céleste identification.
Pourquoi quiconque serait-il heureux
Quand son propre frère est malheureux ?

Lorsqu'un rire argentin, comme clapotis
De soleil sur l'eau, son visage éclaire,
Partagez-le ! C'est d'un sage antique l'édit :
"Un temps d'être triste, un autre d'être gai."
Il y a bon et sain dans la gaieté
Qui d'un rire honnête est née.

---

*   *"Dès que vous serez deux ou trois en prière, je serai au*
milieu de vous."

LA BIBLE

Si votre tâche plus facile est rendue
Par une main amie et assistante,
Dites-le ! Parlez bravement et vraiment
Avant que la nuit ne soit descendue.
Faut-il qu'un compagnon travaillant
Quémande votre parole reconnaissante ?

Semez ainsi les semences de la bonté.
Enrichissez tous sur votre chemin.
Lancez-les ! Fiez-vous que le Grand Semeur
A chacune donnera vie et postérité.
Et pour vous bonheur sera jusqu'à la fin
Et oncques d'amis ne manquerez l'heur.

"Say it now"
AUTEUR INCONNU

SI TOI ET MOI . . .

Si toi et moi nous connaissions mieux,
Si chacun de nous deux avait les yeux
Capables de ce divin regard intérieur
Qui voit les vraies intentions du coeur
Je suis sûr que nous cesserions nos différends
Et nous donnerions la main d'un même élan.

Si toi et moi nous connaissions mieux,
Voyant chez l'autre sa propre soif d'amitié
Nous pourrions en face nous regarder
Et nous voir sous un jour plus heureux.
La vie offre tant de douleur cachée
Tant d'épines pour chaque rose étalée !
Nous verrions le pourquoi des choses, vieux,
Si toi et moi nous connaissions mieux.

AUTEUR INCONNU

Faire croire à quelqu'un qu'il est bon, c'est en quelque sorte le forcer, presque malgré lui, à le devenir.

LA MAISON AU BORD DU CHEMIN

Il était un ami de l'homme, et vivait dans une maison au bord du chemin.

HOMÈRE

Il est des âmes ermites qui vivent retirées
Dans la paix et le contentement,
Telles des étoiles, elles vivent isolées
Dans leur lointain firmament;
Des âmes pionnières qui tracent leurs sentiers
Où les grandes routes n'ont jamais passé
Mais laissez-moi vivre au bord du chemin
Où je puisse être l'ami de mon prochain.

Donnez-moi une maison au bord du chemin,
Où passe la foule des humains;
Ceux qui sont bons, ceux qui sont méchants,
Comme moi . . . et tout autant.
Loin de moi le ban du critique
Encore plus le ban du cynique
Laissez-moi vivre au bord du chemin
Où je puisse être l'ami de mon prochain.

J'aperçois, de ma demeure près du chemin,
Au bord de la grand-route de la vie,
Les hommes que presse l'ardeur de l'espoir
Et d'autres ployant sous le désespoir.
Mais pourquoi me détourner des pleurs et des ris ?
D'un plan infini les deux font partie.
Laissez-moi donc vivre au bord du chemin
Où je puisse être l'ami de mon prochain.

Laissez-moi vivre au bord du chemin
Où passe la foule des humains.
Ils sont bons et ils sont méchants,
Faibles et forts, sages et fous ... comme c'est mon sort.
Alors pourquoi dirais-je le ban du critique ?
Ou lancerais-je le ban du cynique ?
Laissez-moi vivre au bord du chemin
Où je puisse être l'ami de mon prochain.

SAM WALTER FOSS
"The house by the side of the road"

La malchance d'un ennemi ramollit la rancoeur du bon, mais renforce celle du méchant, tout comme le soleil fait fondre la neige et durcir la boue.

Si le désir pouvait les ramener, si le désir pouvait seulement les ramener : les mots de colère échappés qui d'un autre ont gaspillé la journée; si seulement le désir pouvait les ramener !

ANONYME

Combien fortuné est celui qui — dans notre monde suroccupé — sait garder l'inclination et l'habileté à aider ses frères humains.

PESTALOZZI

Un don trop petit pour nous faire mal ne peut nous faire grand bien.

BOOMERANG

Quand un brin de soleil te parvient, sortant de derrière un nuage; quand un brin de rire te prend, et que tu t'en sens tout regaillardi : n'oublie pas de le lancer immédiatement vers une âme attristée. Parce que dès l'instant que tu le lances, il devient un boomerang pour toi, et te reviendra aussi sûrement que tu l'as lancé.

JACK CRAWFORD

LAISSEZ TOMBER UN CAILLOU

Lâchez un caillou à l'eau; un ploc, et il est parti;
Mais un demi-cent de ronds partent et vont, vont,
Toujours plus loin du centre, vers le large, les ronds.
Et qui peut dire où leur marge finit ?

Lâchons un caillou à l'eau; l'instant d'après, on l'oublie;
Mais petites rides flottent et vagues cerclent à l'infini
Et rondelets flottants deviennent immense cercle,
Et large rivière par simple pierre est louchie.

Lâchons un mot méchant; l'instant d'après, il est oublié;
Mais un demi-cent de ronds partent et vont, vont,
Iront plus loin et plus loin, du centre grandiront,
Et plus moyen de les arrêter, une fois partis à flotter.

Lâchons un mot méchant; l'instant d'après, on l'oublie;
Mais petites rides flottent et vagues cercles à l'infini
Dans un coeur blessé vaste vague de pleurs a roulé,
Et le coeur serein par notre simple mot fut troublé.

Lâchons un mot bienveillant; un éclair, et il est parti;
Mais un demi-cent de cercles partent, et vont, vont,
Portant joie, espoir et réconfort avec chaque rond.
Et qui peut dire jusqu'où notre mot aura grandi ?

Lâchez un mot bienveillant; l'instant d'après, on l'oublie;
Mais joie cercle encore, et sourd et ressourd la ,gaieté.
Vous avez lancé une vague de bonheur qui retentit
Sur des milles et des milles, par simple mot bon lâché.

JAMES W. FOLEY
"Drop a pebble in the water"

Si, au lieu d'un joyau, ou d'une fleur, on pouvait faire le cadeau d'une belle pensée au coeur d'un ami, voilà qui serait donner comme seuls les anges peuvent donner.

GEORGE MACDONALD

Texte, reconstruit de mémoire, d'une conférence du Révérend E.L. Crump, ex-ingénieur en électronique devenu clergyman-conférencier.

LES MOTS MAGIQUES

"Allons donc, direz-vous peut-être, vous n'avez tout de même pas envie de nous faire croire à la magie ?

"Et des mots, à part ça; comme si des mots pouvaient exercer des forces magiques ..."

Et pourtant, en y pensant bien ... si nous pouvions établir ensemble, vous et moi, que des mots, oui, de simples mots prononcés en temps opportun peuvent changer complètement une vie ... pour le bien ou le malheur de ceux à qui ils furent destinés ...

Bien sûr, il ne s'agit pas de ces mots dits mécaniquement, par habitude sociale, comme ces "Joyeux Noël" et ces "Bonne Année" semés autour de soi au temps des fêtes.

Mais il est des mots réellement actifs et puissants venant du coeur et qui vont droit au coeur.

Car, les psychologues nous le disent, il y a dans tout humain un besoin constant d'appréciation, un besoin de se sentir accepté, compris, soutenu, estimé ... et surtout ... aimé.

Et tous les mots qui sabotent ces désirs fondamentalement humains sont des mots de magie noire, comme il vous en est peut-être resté à la mémoire :

"Tu ne feras jamais rien de bon" ... "Je te déteste" ... "Je ne te le pardonnerai jamais" ...

Mais ne nous attardons pas à la magie noire.

Voulez-vous des exemples de mots magiques, de magie blanche ?

JE T'APPROUVE ...
JE TE COMPRENDS

Quand un homme a affronté les conventions sociales à cause d'une conviction qui lui est aussi essentielle que son âme, et qu'il sent toute l'amertume de la solitude, quel baume magique ces mots peuvent être.

Même **quand il a fait une erreur** plus ou moins grave contre la vie et ses lois, on peut lui faire sentir qu'il DEVAIT avoir des raisons, et ouvrir ainsi la voie pour lui expliquer que peut-être ses raisons ne doivent plus l'engager dans la même voie, surtout si vous savez ajouter :

JE NE TE CONDAMNE PAS

"Ne jugez pas et vous ne serez pas jugé", et qui sait si celui que vous ne condamnez pas ne sera pas sauvé de la révolte qui l'enracinerait à tout jamais parmi les hors-la-loi ?

Croire en quelqu'un, avoir confiance qu'il ira loin... et le lui dire, parfois, cela peut faire toute la différence entre le découragement, le doute qui l'assaille malgré la certitude de sa valeur, devant les difficultés d'arriver à son but; voilà des mots magiques.

Pour ma part, je me souviendrai toujours des mots d'un journaliste à mon endroit. Parlant d'un certain livre que j'avais écrit, il disait dans un de ses articles : "Le livre est écrit par le génial Untel". Et même si je savais que je n'étais pas, et ne serai jamais un génie, combien de joie et d'encouragement ces mots furent pour moi. Ils eurent certes pour moi un effet magique et ils continueront toujours à l'exercer.

J'AI BESOIN DE TOI...
LA SOCIETE A BESOIN DE TOI

A un employé à qui on doit confier une tâche importante; à la femme de sa vie, dans les petites et les grandes occasions, et surtout quand l'occasion n'est pas immédiatement présente; à un partenaire d'affaires et, peut-être, à l'ami qui connaît un "mauvais moment" et qu'on peut embaucher dans une entreprise... voilà des mots magiques qui font chaud au coeur. Il déclenchent ce ressort éternel qui est en chacun de nous et qui nous invite à répondre à la vie qui nous attend et a besoin de nous.

JE SYMPATHISE AVEC TOI

Quand un homme n'a pas un sou, quand le malheur a frappé à son coeur ou à sa porte, c'est un peu de son fardeau qu'on lui enlève, c'est un peu du courage qu'il lui faut pour recommencer et cette fois aller un peu plus haut.

Et il y en a quantité de ces mots magiques que vous auriez voulu vous entendre dire à certains moments durs de la vie. Vous rappelez-vous, par exemple : "Je crois en toi"... "Moi, j'ai toujours eu confiance en toi"... "Je te pardonne"... "Je pense souvent à toi"... "J'ai de l'estime pour toi".

Et le plus grand, le plus fort, le plus magique de ces mots magiques, m'a valu un incident inoubliable, un incident que j'ai vécu, il y a quelques années.

LE PLUS VILAIN GARNEMENT

J'étais alors ministre dans une mission de l'ouest de la Virginie, dans la région des mines de charbon.

Une famille était menacée d'être évincée de la ville minière à cause de son vilain garnement de fils.

Après lui avoir interdit l'école pour quelques jours, à plusieurs reprises, on avait fini par le mettre à la porte définitivement.

Or, voici qu'une somme importante avait été volée au magasin général de la place et, naturellement, tous les soupçons avaient porté sur le vilain garnement : "il n'y avait que lui dans la place pour faire un coup semblable".

J'étais frais arrivé dans la ville pour prendre mon poste de ministre et c'est l'une des premières nouvelles que j'appris en arrivant.

Par des trottoirs de bois où la neige nous montait aux genoux, je me rendis à la "maison longue", sorte de mainson-ranch que les habitants locaux se construisent en bois, d'une seule venue, en confinant le chauffage aux pièces d'une extrémité où la vie quotidienne se concentre en hiver.

Quand je cognai à la porte, la mère vint me répondre en me disant :

"Alors, vous êtes le nouveau ministre et je suppose que vous êtes venu pour mon mauvais garnement de fils, ce vaurien qui nous fait chasser de la ville; vous pouvez aller le voir si vous voulez; je l'ai enfermé dans la pièce du bout; le froid va lui faire du bien et je l'ai déshabillé pour qu'il ne puisse sortir et faire d'autres mauvais coups".

"Mais je vous préviens; cela ne servira à rien" ... continuait-elle en me conduisant vers le bout de la "long-house", puis, déverrouillant la porte, elle me le montra du doigt en disant : "Le v'là, le plus mauvais garnement de toute la ville", et nous laissa.

Je regardais cet enfant révolté, grelottant dans ses sous-vêtements, serrant les mâchoires dans son orgueil de petit homme de 11 ans.

"Je suis le nouveau ministre" ... Comme un aboiement, il me lança :

"Ouais".

"Est-ce que je puis te parler" ?

"Ouais".

"Est-ce qu'il y a quelque chose que je puis faire pour toi" ?

"Nan".

"Tu es certain que je ne pourrais pas t'être utile" ?

"Nan".

"Il paraît que tu as des ennuis ?"

"Ouais".

"Il paraît que ce sont de gros ennuis ?"

"Ouais, mais ça m'fait rien".

"Il paraît que tu es un mauvais garnement" ?

"Ouais, c'est moué le plus mauvais garnement de la ville; pis les gars me paient pour ça à part de ça; pour cinq cents, j'me bats avec un plus petit que moué; pour dix cents, j'me bats avec les gars de ma taille; pis, pour trente sous, j'me bats avec n'importe qui; c'est moué le plus mauvais garnement de la ville, pis ça me fait rien".

"Et qu'est-ce qu'en pensent tes amis ?"

"J'en ai pas d'amis".

"Mais les gens qui t'aiment" ?

"Y'a personne qui m'aime".

71

Alors, pensant à mes études de théologie, je lui dis d'un ton évidemment convaincu : "Mais le Bon Dieu, lui, il t'aime".

Le pauvre bambin de 11 ans me regarda dans les yeux, sans dire un mot, comme si tout cela était si loin de lui, si difficilement saisissable, que je me sentis envahi par une pitié soudaine, cette sorte de communion de l'humain à l'humain que nous ressentons soudainement et je lui dis, comme malgré moi : "Mais MOI, je t'aime".

Alors, cet enfant à moitié gelé, soudainement décontracté de la haine qu'il avait devant le désert de l'amour où il vivait, me sauta tout tremblant dans les bras ouverts, comme s'il avait tout à coup senti l'immense réalisation d'une âme qui sait ne plus être seule dans le monde, et à travers ses sanglots... et les miens... j'entendis ses promesses : "Je n's'rai plus un mauvais garnement... je ne me battrai plus... je ne dirai plus de menteries... je ne volerai plus...

Je suis depuis retourné dans cette petite ville minière de l'ouest de la Virginie, où "le plus mauvais garnement de la ville est maintenant un citoyen respecté... en fait, le maire de la municipalité.

Alors, comment voulez-vous, mes amis, que je ne crois pas à la magie des mots ?

Et comment voulez-vous que je puisse m'empêcher, dans les conférences que je fais à travers les Amériques, de prêcher la magie des mots ? Essayez-la pour quelque temps, et vous m'en donnerez des nouvelles.

COURAGE

EXCUSES

On dit :

Si j'étais homme !
Si j'étais femme !
Si j'étais plus jeune !
Si j'étais plus âgé !
Si j'avais plus de santé !
Si j'étais plus intelligent !
Si j'étais plus instruit !
Si je demeurais dans une plus grande ville !
Si j'avais plus de protection !
Si je n'étais pas marié !
Si j'avais plus d'argent !
Si je n'étais pas en chômage !
Si les gens me comprenaient mieux !
Si je pouvais recommencer ma vie !
Si j'étais chanceux !
Si je n'avais pas eu de malchances !
Si je n'avais pas fait faillite !
Si je pouvais rencontrer les bons clients !
Si j'avais plus de talent !
Si j'étais moins nerveux !
Si le patron me comprenait !
Si j'avais confiance en moi !

Si j'avais moins de dettes !
Si j'avais épousé la personne qu'il me fallait !
Si les gens n'étaient pas si fous !
Si je n'avais pas une tache sur mon passé !
Si j'étais à mon compte !
Si je parlais l'anglais !

Ce sont des alibis.

Ce que la vie attend de vous, ce n'est pas que vous trouviez des raisons pour expliquer vos difficultés et vos défaites, mais que vous trouviez les moyens de résoudre vos problèmes et de gagner des victoires.

Le monde n'acceptera pas vos excuses si vous échouez, et ne vous demandera pas d'explications si vous réussissez. Celui qui veut vraiment faire quelque chose trouve les moyens de le faire. Celui qui ne veut pas trouve des excuses pour ne pas le faire. "Il ne faut pas de 'mais' ni de 'si', il faut 'réussir' ", disait Napoléon.

JEAN-GUY LEBOEUF
dans son livre "Arrêtez d'avoir peur et croyez au succès"

Si tous les malheurs du monde étaient mis dans un seul et même tas, et que de ce tas chacun doive prendre une part égale, la plupart des gens seraient bien heureux de reprendre leur propre paquet et de s'en retourner.

SOLON

Servons-nous du malheur. — Un jour, un jardinier
M'a dit cette parole ingénue et profonde :
"Si Job avait planté des fleurs sur son fumier,
Il aurait eu les fleurs les plus belles du monde !"

EDMOND ROSTAND
"La Maison des Pyrénées"

Au lieu de "passer à côté" il est souvent plus efficace de "passer à travers".

Je suis descendue jusqu'au tréfonds de la pauvreté et de la maladie. Lorsque les gens me demandent ce qui m'a permis de traverser tous ces problèmes qui nous assaillent tous, je réponds toujours : "J'ai enduré hier. Je puis endurer aujourd'hui. Et je ne me permettrai pas de penser à ce qui pourrait arriver demain."

DOROTHY DIX

SI ...

Si tu peux, lorsque tous le perdent autour de toi
Et veulent t'en blâmer, bien garder ton sang-froid,
Si, tous doutant de toi, tu peux pourtant garder
Confiance en toi, et leurs doutes escompter,
Si tu sais supporter l'attente sans un mot
Et mensonges sur toi sans mentir en retour,
Tout comme la haine, sans haïr à ton tour,
Sans pourtant te gourmer par gestes ou propos;

Si tu peux rêver sans devenir un rêveur
Si tu peux penser, mais à penser ne t'arrêtes
Si tu peux rencontrer Triomphe après Défaite
Et traiter pareillement ces deux imposteurs.
Si tu peux voir cette vérité que tu dis
Déformée par félons pour attraper des sots,
Ou voir s'effondrer l'oeuvre de toute ta vie
Et, de tes vieux outils, commencer à zéro,

Si tu peux faire un tas des gains accumulés
Et puis risquer le lot sur un seul coup de dés
Tout perdre et recommencer au tout début,
Sans souffler un seul mot de ton avoir perdu,
Si tu peux forcer ton coeur, tes nerfs et ton corps
A te servir alors qu'ils n'en peuvent plus
Et tenir tandis que rien en toi ne veut plus
Sauf ta volonté qui crie : "Qu'importe la mort !"

75

Si dans la foule tu peux rester vertueux
Et coudoyer les rois aussi bien que les gueux,
Si nul, ami ou ennemi, ne peut te blesser,
Et tous, mais personne à l'excès, tu fais compter,
Et si tu peux de chaque minute implacable
Remplir chaque seconde de travail valable,
Monde, Pouvoir, Honneurs sont à toi, et la Vie
Et — beaucoup mieux — tu seras un Homme, mon fils.

"If"

RUDYARD KIPLING

DECOURAGE ?

Quand, jeune homme, il se présenta à la législature de l'Illinois, il fut littéralement balayé.

Il se lança en affaires, faillit, et dépensa 17 ans de sa vie à payer les dettes d'un partenaire malhonnête.

Il était amoureux d'une beauté de femme à laquelle il se fiança — et elle mourut.

Plus tard, il épousa une femme qui lui devint un fardeau sa vie durant.

Retournant à la politique, il fut défait comme candidat au Congrès. Il faillit dans ses efforts pour être nommé au secrétariat des Terres des U.S.A. Il fut battu avec humiliation dans sa candidature au sénat américain.

En 1856, il se présenta à la vice-présidence et fut encore défait. En 1858, il fut battu par Douglas.

Une faillite après l'autre — de grandes faillites — de grandes reculades. Et malgré tout cela, il devint éventuellement l'un des plus grands hommes de son pays, sinon le plus grand. Quand on songe à une telle série de rebuffades, est-ce qu'on ne se sent pas un peu piteux de se décourager, parce que le chemin du succès est accidenté ? Ah ! oui . . . il s'appelait Abraham Lincoln.

ANONYME

"Un de ces jours", cela veut dire : "Aucun de ces jours".

CECI, AUSSI, PASSERA

Qui que tu sois, où que tu seras, rappelle-toi
Cette parole sage : "Ceci, aussi, passera".
O le joyau tiré de la mine de vérité !
Quelle richesse elle donne au jeune, à l'âgé;
Le plus sublime, le plus majestueux poème
Jamais ne donna conseil ou consolation
Aussi puissante. Sur ton coeur même
Ecris-la. Et la dis à toute heure sans exception.
La misère t'assaille, frère ? Alors, redis-la.
Sois consolé ! Car ton chagrin, cela passera.
Te sens-tu exulter ? Trop ne t'égaie pas
Modère ta joie, ceci aussi, passera.
Renommée, gloire, place et honneur,
Autant de hochets de bonheur.
Alors, ne sois jamais trop exalté
Ni trop abattu; à tout sois préparé
Quand le ciel est clair, sache que nuage viendra.
Dans le noir, rappelle-toi : la lumière reparaîtra.
Quel que soit ton sort pour le moment
Rappelle-toi : même cela, passera sûrement !

A. L. ALEXANDER

Prière : Fasse le ciel que je fasse la chose qui doit être faite, telle qu'elle doit être faite, quand elle doit être faite, que j'aime la faire ou non.

ANONYME

En vérité, il n'y a pas de défaite qui ne vienne de l'intérieur; à moins d'être battu là, vous êtes dus pour gagner.

C. C. CAMERON

Bien des hommes doivent la grandeur de leur vie à la grandeur de leurs difficultés.

THOMAS EDWARD BROWN

IL Y EN A QUI ONT TOUTE LA CHANCE

Janvier 1965

Il a 60 ans et il est une des vedettes de la National Broadcasting Corporation depuis 26 ans.

Il y a une couple de mois, lorsque parut son livre, "Je dois $1,200 à la Russie", il se prêtait à toutes les interviews de journaux, de radio et de télévision qu'on sollicitait de lui, et on le vit plus souvent sur les écrans de télévision, ma foi, que les annonceurs de breuvages alcooliques.

Le dynamique acteur projette actuellement un voyage de deux semaines en Italie et en Nouvelle-Zélande, et s'occupe activement des poulains qu'il élève sur son ranch; il fait des voyages de pêche au large des côtes de la Colombie-Britannique et il se prépare à écrire un autre livre ... tout en trouvant le temps d'être le compagnon de sa femme et de ses enfants.

Il a tourné trois films l'an dernier. Il a parcouru des milliers de milles pour donner des spectacles. Il a écrit un livre à succès. Et ce fut une année durant laquelle, selon lui, il a dû suivre au pied de la lettre les ordres de son médecin : se reposer pour se remettre d'un désordre circulatoire qui lui a affecté un oeil. "Je n'ai pas fait la moitié de ce que j'avais l'habitude de faire", dit-il.

Et il prépare actuellement une série de films pour une continuité hebdomadaire à la télévision. "Je n'aurais rien fait de tout cela si je n'avais pas été heureux de le faire", explique-t-il. "Cependant, je crois que la discipline au travail est très salutaire. Je mange seulement trois fois par jour et je me couche tous les soirs à 10 h. 30."

Il s'appelle Bob Hope.

Et dire qu'il y en a qui pensent "qu'il y en a qui ont toute la chance".

Le sort me traitait dur; je le dévisageai et je ris
Pour que nul ne sache l'amertume de mon coeur
Alors parut la Joie; s'asseyant comme une soeur,
Elle dit : "J'aime donc ça un gars qui rit."

ELLA WHEELER WILCOX

LA VILLE DE BONARIEN

Mon ami, connais-tu la ville de Bonarien,
Sur les bords de la rivière Lententout ?
Où fleurit à foison l'attendonsdonc.
Où l'air est empesté par l'aquoibon
Mêlé aux odeurs du prenonsçabien ?

Elle est dans la vallée d'Aquoiçasert,
Dans la province de Laissedoncfaire.
On y fabrique le jesuisfatigué;
C'est le pays du j'enaiassez
Et la patrie des jelâchetout.

Elle est aux pieds du mont Paresseux
Et facile à atteindre pour tout le monde :
Suffit de se croiser les bras et de glisser
Sur la pente Pasdevolonté,
Comme sur un toboggan de jeu.

La ville est aussi vieille que le monde
Et grossit avec la fuite des ans,
Enveloppée par le brouillard des rêveurs.
Les rues y sont pavées d'anciens beaux plans
Et arrosées par d'inutiles pleurs.

Les ex-collégiens et les fils à papa
Abondent dans ce pays-là.
Quant au reste de la foule de malheur,
Elle contient toutes les classes,
Sauf une : celle des piocheurs.

La ville de Bonarien est entourée
Partout par les monts Désespoir;
Pas de sentinelles, sur les murs, qui passent
Pas de trompette appelant à la victoire :
Seulement de couillards elle est habitée.

Mon ami, cette ville de morts-vivants
Si tu veux en rester éloigné,
Avec ton devoir suffit de te colleter
Prends donc pour devise : Je peux, je veux,
Et chaque jour, ajoute : "J'agis maintenant."
Bonarien, c'est la capitale des malheureux.

"The town of Nogood",
W. H. E. PENNY

Les soucis ressemblent à des chaises berçantes. Ils donnent quelque chose à faire, mais ne conduisent nulle part.

L'adversité est la prospérité des grands. Les cerfs-volants montent contre le vent, pas avec lui.

JOHN NEAL

Un bon test de mémoire : essayez de vous rappeler les choses dont vous vous inquiétiez tellement, il y a deux semaines.

Tout le monde fait des erreurs; c'est pour cela qu'on met des gommes à effacer aux crayons.

On peut facilement déterminer le calibre d'un homme en observant la quantité d'échecs qu'il faut pour le décourager.

Ce n'est pas le travail qui tue les hommes; c'est le souci. Le travail est sain; on peut difficilement en imposer plus à un homme qu'il ne peut en supporter. Le souci, voilà la rouille qui ronge la lame. Ce ne sont pas les révolutions qui détruisent la machinerie, mais les frictions.

HENRY WARD BEECHER

Il n'est jamais rien arrivé DEMAIN.

NE LACHE JAMAIS

Quand les choses vont mal, de temps en temps,
Et que la route va toujours en montant,
Quand les fonds sont bas et les besoins hauts,
Et que le sourire tenté se fige tout beau,
Quand le souci te déprime un tantinet,
Repose-toi, si tu veux, mais ne lâche jamais !

C'est une drôle de vie, avec ses tours et détours,
Chacun de nous, mon vieux, l'apprend à son tour.
Et plus d'un a failli en lâchant
Quand il eût suffi de tenir un autre moment.
Tire encore un peu, crampe le jarret,
Peut-être l'emporteras-tu le coup d'après !

Le succès, c'est la faillite plus de la patience,
C'est le soleil qui nuages les plus noirs argente;
Et nul ne saurait dire combien on l'approche,
Juste au moment où tout accroche;
Reste donc dans la lutte, même si durement frappé
C'est quand ça va le plus mal qu'il ne faut pas lâcher.

AUTEUR INCONNU

Ne vous en faites pas parce que la marée baisse; elle remonte toujours.

Le plaisir de la victoire se mesure à l'ardeur du combat.

HENRY WARD BEECHER

Ce n'est pas tellement les choses qu'on a faites que celles qu'on n'a pas faites, qui tiraillent un peu le coeur au coucher du soleil.

MARGUERITE SANGSTER

L'UTILITE DE L'ANXIETE

L'affranchissement de l'anxiété n'est pas le but le plus important de la vie. Les idées, les inventions et les techniques qui ont contribué au progrès social ont généralement eu leur origine dans l'esprit de personnes anxieuses et mécontentes. Ce sont ces individus anxieux et alertes, qui entreprennent d'améliorer le monde. L'anxiété semble nécessaire pour le progrès... du moins une certaine dose d'anxiété...

Tenez-vous bien loin des gens qui tentent de ravilir vos ambitions. Les petites gens le font toujours, mais les hommes réellement grands vous laissent l'impression que vous aussi, vous pouvez devenir grand.

MARK TWAIN

Je ne pense jamais au futur. Il vient toujours assez vite.

ALBERT EINSTEIN

Un homme de courage constitue une majorité.

ANDREW JACKSON

Fendez vous-même votre propre bois de chauffage et il vous réchauffera deux fois.

PROVERBE RUSSE

Combien nous ont coûté les malheurs qui ne sont jamais arrivés !

THOMAS JEFFERSON

Lorsqu'on admet avoir tort, c'est preuve qu'on s'assagit.

Le malheur lui-même finit par se lasser; les vents ne souf-
flent pas toujours avec la même violence; le bonheur des heu-
reux a un terme. Tout passe, tout se modifie; l'homme de coeur
est celui qui se fie jusqu'au bout à l'espérance. Désespérer, c'est
lâcheté.

EURIPIDE

Les lâches meurent plusieurs fois avant leur mort, le brave
ne goûte jamais la mort qu'une fois.

SHAKESPEARE

Ne craignez rien, parce que cela que vous craignez va sûre-
ment vous arriver.

WASHINTON IRVING

Je n'ai pas d'autre ennemi à craindre que la peur.

KNOWLES

Se tromper est humain, mais l'admettre ne l'est certainement
pas.

Si le pire arrive et que vous vous en tiriez le mieux possible,
ce n'est pas si mal, après tout.

Qui perd son bien ne perd rien; qui perd sa santé perd
quelque chose; qui perd sa force d'âme a tout perdu.

ANONYME

La plus immense des montagnes n'est en somme qu'une
accumulation d'atomes.

PIERRE CLÉMENT

La liberté n'est pas une forme de gouvernement. Elle est
dans le coeur de tout homme libre; il l'emporte avec lui partout.

JEAN-JACQUES ROUSSEAU

L'ENFER

L'enfer commence le jour où Dieu nous donne la claire vision de ce que nous aurions pu accomplir, de tous les dons que nous avons gaspillés, et de toutes les choses que nous aurions pu faire et que nous n'avons pas faites...

Pour moi, la conception de l'enfer se résume en deux mots : trop tard.

GIAN-CARLO MENOTTI

Dans l'obscurité, un pou est pire qu'un tigre; il faut voir le pou, pour en rire avant de le tuer.

(GURDJIEFF PÈRE)

PRIERE DES ALCOOLIQUES ANONYMES

Seigneur,

donnez-moi la force de changer les choses que je peux changer, la patience d'endurer celles que je ne puis changer, et la sagesse de pouvoir distinguer les premières des secondes.

AUTEUR INCONNU

FOI ET RELIGION

CHACUN EN SA LANGUE...

Une planète après un nuage de feu,
Une cellule après un cristal opalin,
Une méduse, puis un saurien;
Des cavernes par des hommes habitées;
Puis, un sens de l'ordre et de la beauté,
Un regard levé vers le ciel avec émotion.
Certains appellent ça Evolution
Et d'autres disent le nom de Dieu.

Un horizon lointain et brumeux,
Un ciel tendre et bleuté,
La teinte riche des champs de blé,
Des troupeaux d'oies volant bien haut;
Et partout, dans les vallons et les côteaux,
La charmante verge d'or qui festonne
Certains de nous appellent ça l'automne
Et d'autres prononcent le mot "Dieu".

Comme des vagues de la mer montante
Quand la lune nouvelle est croissante,
Dans nos coeurs de hautes aspirances
Sourdent et montent en espérances,
A même un océan mystérieux
Aux rives de toute foulée exemptes.
Certains de nous appellent ça Attente
Et d'autres disent le nom de Dieu.

85

La sentinelle à son poste gelant,
Une mère qui a perdu son enfant,
Socrate devant la cigüe,
Et Jésus sur la croix, silencieux;
Et des millions, humbles et sans nom
Suivant, fidèlement, la route exiguë,
Certains appellent ça Consécration
Et d'autres prononcent le mot "Dieu".

WILLIAM HERBERT CARRUTH
"Each in his own tongue".

CREDO

Voici mon credo. Je crois en un seul Dieu, créateur de l'univers. Je crois qu'il le gouverne par sa Providence. Je crois qu'il faut l'adorer. Je crois que le service le plus acceptable à ses yeux est celui de faire du bien à ses autres enfants. Je crois que l'âme de l'homme est immortelle, et sera traitée avec justice dans une autre vie, selon sa conduite dans celle-ci.

BENJAMIN FRANKLIN

Il y a un océan! Au milieu de l'océan, il y a le Gulf-Stream, de l'eau chaude qui coule de l'équateur au pôle. Demandez à tous les savants comment il est physiquement concevable qu'un courant d'eau chaude coule, comme entre deux rives, au milieu de l'océan, mobile dans l'immobilité, chaud dans le froid. Ils ne peuvent pas l'expliquer. Ainsi en est-il du Dieu d'amour, dans le sein du Dieu des forces naturelles, un avec Lui et cependant tout différent de Lui. Laissons-nous saisir et emporter par ce courant.

ALBERT SCHWEITZER

*L'univers m'embarrasse, et je ne puis songer
Que cette horloge existe et n'ait pas d'horloger.*

FRANÇOIS-MARIE AROUET
(Voltaire)

IMMORTALITE

Deux chenilles, sur même feuille rampant,
Et par un hasard naturel se rencontrant,
Leur conversation, la chose vous étonnera,
Autour de ce même problème tourna
Que l'homme discute et agite
Depuis que cette planète il habite.

Ces laides et sourdes créatures,
Muettes et aveugles également,
Dépourvues de ces utiles ornements
Qui parent l'humaine nature,
Se permettaient, en leur terne débat,
De discourir sur un futur au-delà.

La première était optimiste, pleine d'espoir.
L'autre, dyspeptique en plein, broyait du noir.
Dit la première : "Je suis sûre du salut éternel."
Dit la seconde : "Et moi, sûre du feu éternel.
La seule laideur scelle le destin de notre sorte
Et nous ferme les éternelles portes.
Si, d'improviste, mort devait nous incomber,
Comment gravir les élyséens escaliers ?
Si les belles notre vue évitent,
Se peut-il qu'au ciel anges nous invitent ?
Par quels crimes avons-nous donc péché
Pour vivre si oubliées, privées même de pitié,
Et quelles noires rancunes nous sont retenues ?
Clairement, vie ne vaut peine d'être vécue."

"Voyons, voyons, fit le ver jovial à son tour,
Regardons l'affaire sous son meilleur jour.
Bien sûr, point ne sommes de volante famille,
Mais est-ce notre faute si sommes chenilles ?
Le Dieu qui, à la terre nous collant,
Nous fait pâture de l'oiseau naissant

Peut-il bénir bourreau qui nous mange en chantant
Et nous damner pour les ailes nous manquant ?
Comme hiboux sommes incapables de fendre l'air,
Mais il tourne tout de même bien sa terre, le ver."

Ainsi arguèrent-ils tout l'été. Novembre venu,
Le temps de mourir aux laiderons ce fut.
De ses funérailles chacun fit rite profond
En s'enveloppant de son multiple cocon.
La toile enroulée les entoura bientôt
Chacun dans sa toile devenue tombeau.
Et l'hiver sur eux souffla sa glaciale haleine.
Ils étaient morts au monde, tel qu'argile humaine.

Mais le printemps chargé d'amour et de chaleur vint,
De justice céleste se faisant messager divin.
Brisant leurs chrysalides et ressuscitant des morts,
Nos deux papillons qui s'ignoraient prirent leur essor.
Et cet emblème à jamais sera célébré.
Comme le symbole de l'immortalité.

JOSEPH JEFFERSON

Mourir, c'est changer de corps comme l'acteur change d'habit.

PLOTIN

Que brise la mort sinon l'obstacle ? . . .

RICHARD WAGNER

JE CROIS

Je crois au soleil, même quand il ne luit pas;
Je crois en l'amour, même lorsque je ne le sens pas;
Je crois en Dieu, même s'il ne me parle pas.

> Inscription trouvée sur le mur d'une cave, à **Cologne**,
> en Allemagne, après la seconde Guerre Mondiale.

AVEUGLE

"Montre-moi ton Dieu !" me crie le douteur.
Je lui pointe les cieux souriants,
Je lui montre les bois verdoyants,
Je lui montre la paix des scènes sylvestres,
Le frimas, la neige et ses patrons célestes,
Je lui montre le courroux de la mer qui tempête
Et des monts les puissantes arêtes.
De la grive, je lui dis d'écouter le chant rieur;
Sous le nez, je lui mets des fleurs
Le lys, la violette et la rose et leurs couleurs.

Je lui montre les rivières et le ruisseau babillard
Je lui montre les étoiles, la lune, le soleil et ses dards,
Je lui fais voir des actes de bonté;
Je lui montre la joie, l'amour et la gaieté,
Et il garde son air douteux . . .
Parce que son âme a perdu ses yeux !

JOHN KENDRICK BANGS

PETITE FLEUR . . .

Petite fleur dans le mur lézardé, je te cueille, je te tiens ici, racine et tout, dans ma main, petite fleur — mais si je pouvais comprendre ce que tu es, racine et tout, je pourrais savoir ce que Dieu est, et ce que l'homme est.

ALFRED TENNYSON

S'il existe une unité qui relie toutes choses, il importe peu par quoi l'on commence, qu'il s'agisse des étoiles, des lois de l'offre et de la demande, des grenouilles, ou de Napoléon Bonaparte. Nous avons affaire à un cercle dont le centre est partout.

CASE FORTH

Il est dur de remonter la pente de la spirale. Elle va cependant vers la mort et l'illumination. Même aux heures les plus sombres, quand tout espoir de se vaincre paraît déraisonnable, il faut se souvenir qu'en haut, très loin, brille la lumière éternelle. Quoi que nous fassions, nous allons, parfois malgré nous, vers un bonheur dont notre esprit n'a aucune idée. A quoi bon regretter les ombres de cette terre ? Il faut penser avec courage, avec espoir, à la mort, au grand pays lumineux qui s'étend au-delà de la porte noire.

JULIEN GREEN

LA SCIENCE ET LA RELIGION

Douze savants fameux énoncent la vérité nouvelle : science et religion ne sont pas parallèles, mais convergentes.

Je crois en l'âme immortelle; on ne peut rien réduire au néant par désintégration, la science l'a prouvé. La vie et l'âme, par conséquent, sont immortelles et ne peuvent être réduites au néant par désintégration.

WERNHER VON BRAUN
Expert en missiles

Seul un pouvoir plus grand que l'homme peut contrôler les puissances de l'énergie atomique.

LE DOCTEUR LISA MEITNER
Physicienne de l'atome

Je ne sais pas comment je parais aux yeux du monde; mais à mes propres yeux, il me semble n'être qu'un enfant qui joue sur la plage, et s'amuse à trouver ici et là un caillou plus poli ou une coquille plus jolie que d'ordinaire, tandis que l'immense océan de la vérité est là devant moi, et qui attend que je le découvre.

SIR ISAAC NEWTON
Mathématicien

Une croyance plus profonde et plus ferme en Dieu peut être le seul résultat d'une meilleure pénétration de la vérité.

ALBERT M.C. WINCHESTER
Biologiste

Je m'abandonne à mon extase. Les dés sont jetés. Rien de ce que j'ai ressenti jusqu'ici n'a ressemblé à ceci, je tremble, mon sang bout. Dieu a attendu six mille ans un spectateur à son oeuvre. Sa sagesse est infinie, cela dont nous sommes ignorants est contenu en lui, aussi bien que le peu que nous sachions.

JEAN KÉPLER
Astronome

L'athéisme est contraire au mode de penser, de travailler et de vivre d'un scientiste. Le scientiste part du principe qu'il ne peut y avoir une machine sans un artisan pour la produire... Si le hasard est un facteur causal... il faut que quelqu'un ait pipé les dés.

ANDREW CONWAY IVY
Physiologue

La possibilité de l'origine accidentelle de la vie est comparable à la probabilité de la création d'un dictionnaire comme résultat d'une explosion dans un atelier d'imprimerie.

EDWIN CONKLIN
Biologiste

Il ne peut y avoir de conflit entre la science et la religion. La science est une méthode fiable de trouver la vérité. La religion est la recherche d'un mode de vie satisfaisant. La science croît, mais un monde qui possède la science a besoin — plus que jamais auparavant — de l'inspiration que la religion peut offrir.

ARTHUR H. COMPTON
Physicien

Si l'univers pouvait se créer lui-même, il englobarait alors les pouvoirs d'un créateur et nous serions forcés de conclure que l'univers lui-même est Dieu.

GEORGE DAVIS
Physicien

La religion et la science naturelle livrent ensemble une même bataille incessante, une croisade jamais relâchée, contre le scepticisme, contre le dogmatisme et contre la superstition; et le cri de ralliement de cette croisade a toujours été et sera toujours le même : "Vers Dieu".

MAX PLANCK
Physicien de l'atome

L'homme a besoin d'une réalité pour survivre. Seule une directive divine peut réaliser le monde idéal qui n'existe pas encore.

LE DOCTEUR EDWARD TELLER
Physicien

Le courant du savoir se dirige vers une réalité non matérielle; l'univers commence à nous apparaître bien plus comme une grande pensée que comme une grande machine.

SIR JAMES JEANS

JE CROIS

Mes nombreuses années dans le journalisme m'ont imbu de certaines convictions inébranlables; je crois en particulier que les hommes sont fondamentalement bons, que nous venons de quelque part, que nous allons quelque part et que le créateur du ciel et de la terre n'a pas construit un escalier qui ne mène nulle part.

BEN HECHT

Le fait d'appartenir à une église ne produit pas plus un chrétien que le fait de posséder un piano nous consacre musicien.

PSAUME DE VIE

Ne me dites pas, en pleureurs attroupés,
Que la vie est un rêve sans substance.
Ame est morte qui vit en somnolence
Et choses ne sont ce que peuvent sembler.

La vie, c'est du réel ! La vie, c'est archi-vrai !
Et la tombe n'est pas son but. Les
"Tu es poussière, en poussière retourneras"
De l'âme ne se disent pas.

Ni le plaisir, ni la peine, mon ami
Ne sont pour nous chemin ou fin;
Il faut agir de sorte que chaque lendemain
Nous trouve plus loin qu'aujourd'hui.

L'Art est long et le Temps si court
Que nos coeurs, si fermes de propos,
Battent pourtant, comme tambours sourds,
Des marches funèbres en marchant au tombeau.

Le monde est un champ de bataille.
Allons donc ! Au bivouac de la vie,
Ne soyons comme viles bêtes asservies;
Sachons être héros sous la mitraille.

La vie des grands hommes nous rappelle à tous
Que nous pouvons grandir la nôtre sublimement
Et, en partant laisser derrière nous
Nos pistes sur les sables du Temps.

Des pistes que d'autres, peut-être, verront,
Errant sur les grandes routes de la vie,
Frères perdus et échoués qui,
En les voyant, courage reprendront.

Debout donc et à l'oeuvre !
Avec un coeur à toute épreuve
Toujours entreprenant, toujours essayant,
Apprenons à travailler, en attendant.

HENRY WADSWORTH LONGFELLOW
"A psalm of life"

DIEU

Un être raisonnable perdrait la raison à chercher l'explication aux grands phénomènes de la Nature, s'il ne pouvait se référer à un être suprême; et comme on l'a dit avec raison, s'il n'y avait pas de Dieu, l'homme se serait vu obligé de l'inventer.

GEORGE WASHINGTON

Je n'ai point cédé, j'en conviens, à de grandes lumières sur-naturelles, ma conviction est sortie du coeur; j'ai pleuré et j'ai cru.

CHÂTEAUBRIAND

La prière représente l'effort de l'homme pour communier avec un être invisible, créateur de tout ce qui existe, suprême sagesse, force et beauté, père et sauveur de chacun de nous.

ALEXIS CARREL

Parmi les frayeurs imposées à l'homme par son ignorance, la crainte de la mort doit être comptée parmi les plus solides et les plus profondes.

MAURICE GARÇON
(Le Diable)

Comment peut-on s'émerveiller de voir surgir un papillon de la larve qui vient de mourir et — en même temps — s'attrister de voir mourir un corps humain ?

PIERRE CLÉMENT

BIEN SIMPLE

Lors de son voyage en Indonésie, l'astronaute russe Titov fut invité à dîner sans cérémonie au Cercle naval.

L'ambiance fut cordiale, mais le Soviétique tint absolument à placer son petit couplet matérialiste :

— J'ai eu beau tourner et retourner dans le ciel durant plusieurs jours, je n'y ai pas rencontré Dieu . . .

— C'est ce qui vous serait pourtant arrivé, répliqua l'un des officiers présents, si seulement vous' aviez fait un pas en dehors de votre capsule . . .

LE SAVANT ET LE FERMIER

"Les personnes intelligentes ne croient rien qu'elles ne puissent expliquer par la raison," disait un jour un savant à un fermier.

"Dans ce cas-là, répliqua le fermier, comment se fait-il que — bien que prenant tous leur nourriture dans le même champ — la vache a du poil, le mouton de la laine, et le poulet des plumes ?"

Toutes les choses les plus nobles sont religieuses — non seulement les temples et les martyrs — mais aussi les plus beaux livres, les plus belles peintures, statues, poésies, ou la plus belle musique.

WILLIAM MOUNTFORD

Celui qui attend après Dieu manque à comprendre qu'il Le possède déjà. Croyez bien que Dieu et le bonheur sont une seule et même chose, et mettez tout votre bonheur dans le moment présent.

ANDRÉ GIDE

Heureux ceux-là qui — sur un moment fugace de bonheur — peuvent déceler la signature de l'éternité.

RABINDRANATH TAGORE

Certaines pensées sont une prière. Il y a des moments où, quelle que soit l'attitude du corps, l'âme est à genoux.

VICTOR HUGO

Un homme trop occupé pour prier est beaucoup plus occupé que Dieu ne l'exige.

A mesure que vous progresserez dans l'amour, vous vous convaincrez que Dieu existe et que l'âme est immortelle.

FÉDOR DOSTOÏEVSKY

Pesons le gain et la perte en prenant choix que Dieu est. Estimons ces deux cas : si vous gagnez, vous gagnez tout; si vous perdez, vous ne perdez rien. Gagez donc qu'il est, sans hésiter.

PASCAL

La foi commence là où finit le souci, et le souci commence là où finit la foi.

Il y a beaucoup d'étoiles au ciel et leur nombre dépasse tout pouvoir que je l'épuise, et cependant il n'y en a pas une seule qui ne me soit nécessaire pour louer Dieu.

PAUL CLAUDEL

La souveraine félicité de l'homme ici-bas est d'anticiper, si confusément que ce puisse être, la vision face à face de l'immobile éternité.

ÉTIENNE GILSON

La foi, c'est de croire qu'il existe un océan parce qu'on a vu un ruisseau.

Inscription sur une tombe : Ci-gît un athée, tout habillé et n'ayant nulle part où aller.

SALLE D'OPERATION

Un grand chirurgien, à qui l'on demandait comment il pouvait faire pour entreprendre des opérations dans un amphithéâtre universitaire, devant tant de monde, répondait tout simplement : "Voyez-vous, il n'y a que trois personnes dans la salle d'opération quand j'opère : le patient et moi."

"Mais, cela ne fait que deux", lui rétorquait l'un des assistants. "Où est la troisième ?"

Le chirurgien répondit : "La troisième, c'est Dieu."

Il faut bien voir enfin qu'on n'aime que dans l'éternité, c'est pourquoi il faut prendre soin de se conduire en toute chose comme si ce qu'on fait devait être éternel.

C.-F. RAMUZ
Taille de l'homme

L'amour est une foi et une foi mène à l'autre.

AMIEL

Aujourd'hui, je me suis senti plus grand tout d'un coup, en marchant sous des arbres, alors que j'aperçus une étoile qui tremblotait au-dessus de la tête d'un pin.

KARLE WILSON BAKER

Le temps est une idée qui passe dans la tête de l'âme, qui vivait avant elle et qui peut vivre sans elle.

PIERRE CLÉMENT

L'idée même de Dieu est incluse dans l'idée de vie. Croire en la vie, c'est croire en Dieu. Quiconque vit croit en Dieu dans la mesure même où il vit, dans la mesure où la vie qu'il vit ne le contente pas.

ANDRÉ BILLY

J'ai rêvé que j'étais un papillon; depuis, je me demande si je suis un homme qui rêve d'être papillon ou un papillon qui rêve qu'il est un homme.

MAHABHARATA

Avis aux personnes qui se plaignent que leurs prières ne sont jamais exaucées : puis-je signaler que "Non" est aussi une réponse ?

G.-K. CHESTERTON

Dieu n'a jamais voulu donner de nageoires au poisson avant de lui avoir préparé un océan pour nager. Il n'a jamais créé un oiseau avant de lui avoir préparé une atmosphère où voler. Et il n'a jamais créé le désir d'immortalité dans une âme avant d'avoir produit un ciel qui comblât ces désirs.

AUTEUR INCONNU

BONHEUR
ET APPRÉCIATION

LE BONHEUR

Le bonheur est comme un cristal merveilleux
Transparent, délicat, et tombé des cieux,
Brisé en millions de petits morceaux
Eparpillés partout dans le vaste monde.
De temps à autre, sur le chemin, à la ronde,
On trouve un fragment brillant, un joyau,
Mais il y a tellement de morceaux
Que personne jamais n'en trouve tout le lot.

De joie, l'un peut trouver un simple brin
Ou une part simplement honnête de biens.
Tandis qu'une autre, juste à côté,
Ramasse honneurs, amour et santé.
Inutile de vouloir thésauriser avidement :
Elle est brisée la boule parfaite,
Et il y a tellement de morceaux
Que personne jamais n'en trouve tout le lot.

Mais le sage les cueille chemin faisant,
Voit un trésor dans chaque fragment brillant
Et, les rajustant de son mieux,
Imagine la boule dans son entier.
Il sait combien il est gratifié,
Même si sa part en contient si peu.
Il sait qu'il y a tellement de morceaux
Que personne jamais n'en trouve tout le lot.

PRISCILLA LEONARD

PRENONS LE TEMPS...

Prenons le temps de PENSER... c'est la source de la puissance.

Prenons le temps de JOUER... c'est le secret de la jeunesse perpétuelle.

Prenons le temps de LIRE... c'est la fontaine de la sagesse.

Prenons le temps de PRIER... c'est la plus puissante énergie au monde.

Prenons le temps d'AIMER et d'ETRE AIME... c'est un privilège divin.

Prenons le temps d'ETRE UN AMI... c'est la route du bonheur.

Prenons le temps de RIRE... c'est la musique de l'âme.

Prenons le temps de DONNER... Dieu n'a pas d'autres mains que celles des humains.

Prenons le temps de TRAVAILLER... c'est le prix du succès.

SOURCE INCONNUE

Si le printemps ne venait qu'une fois par siècle, au lieu d'une fois par année, ou s'il survenait au bruit d'un tremblement de terre, et non en silence, quel émerveillement et quelle expectative n'ébranleraient pas tous les coeurs en voyant ce changement miraculeux! Mais sa venue silencieuse ne semble suggérer que sa nécessité. Pour la plupart des hommes, seule la cessation du miracle serait miraculeuse, et l'exercice perpétuel de la puissance de Dieu nous semble moins merveilleux que ne le serait sa suspension.

HENRY WADSWORTH LONGFELLOW

MODERATION

Ne soit ni trop borné, ni trop brillant
Ni trop assuré, ni trop hésitant.
Ne soit ni trop humble, ni trop hautain
Ni trop parleur, ni trop réticent
Ni trop dur, ni trop faible, enfin.

Si tu es trop fin, on attendra trop de toi.
Si tu es trop sot, on te dupera souvent.
Si tu es trop assuré, on te croira difficile.
Si tu es trop humble, honneurs pour toi seront absents.

Si tu parles trop, on ne t'écoutera pas,
Trop silencieux, nul ne te regardra.
Si tu es trop dur, on te brisera.
Trop faible, on t'écrasera.

Recommandations de
CORMAC, ROI DE CASHEL, IRLANDE
à son fils, au neuvième siècle

Au cours de mes nombreuses relations dans la vie, j'ai rencontré plusieurs et de grands hommes dans diverses parties du monde; et il me reste encore à trouver un homme — si grande et si exaltée que soit sa position — qui ne travaillait pas mieux et ne mettait pas plus d'efforts lorsqu'il recevait ou anticipait l'approbation des autres, au lieu de leurs critiques.

CHARLES SCHWAB

Par comparaison avec ce que nous devrions être, nous n'utilisons qu'une faible partie de nos ressources physiques et mentales. En général, l'individu humain vit ainsi bien en deçà de ses limites. Il possède des pouvoirs de diverses sortes qu'il manque habituellement à se servir.

WILLIAM JAMES

TRESORS...

Son pantalon, avec son chapeau, était sur le crochet,
Et les poches bombaient sous leur trop-plein.
Je vidai le tout sur une chaise, en un paquet,
Et examinai chaque trésor avec grand soin :
Trois élastiques, un bon de stationnement,
Deux pince-feuilles, un petit hameçon
Une boîte d'allumettes, vide, six ou sept clous;
Un cube de camphre, deux ou trois cailloux,
Un tee de golf, deux tiges de suçons,
Une bille, une bobine, trois cure-dents,
Un couteau, un crayon, de la mousse de maïs séchée,
Un bouchon de bouteille de lait, tout écorné;
Une plume blanche, de poulet, une clef rouillée,
Un ressort de montre, un morceau de cuir déchiré,
Une ampoule miniature, de la ficelle : quelques brins,
Deux épingles à cheveux, un gros biscuit à chien.
Puis je ramassai tous ces petits trésors :
Chaque élastique, chaque clou, chaque roche,
Et je remis le tout dans ses poches.

Et je le vis sourire dans son sommeil,
Au moment que j'éteignis la lumière.
Dieu est donc bon ! pour qu'un bonheur pareil
Vienne de telles choses au garçon et à sa mère.

"TREASURES", DE CLAIRE RICHCREEK THOMAS

O vous, qui du désir d'entreprendre le tour
Du monde languissez,
Lisez-moi cette aimable fable,
Et pour un long parcours ne partez pas trop vite;
Quoi que votre imagination vous représente,
Croyez-moi, il n'est plus beau pays que celui
Où votre bien-aimé ou votre ami demeurent.

IVAN A. KRYLOV

TADOUSSAC

J'ai vu les Mille-Iles
Dans la beauté de l'aurore.
Le lac Ontario, sous voile tranquille,
Je l'ai vu quand le soleil dort.
Dans Toronto j'ai erré;
A Montréal, le "Mont" j'ai escaladé
Et sauté les rapides résonnants
Du St-Laurent tourbillonnant.

J'ai couché, à Québec, au Château
Et j'ai connu la félicité
De me promener dans la "vieille cité"
Et dans le fort, sur le côteau.
J'ai vibré à la beauté sacrée,
A la splendeur du Saguenay;
Et connu la bonne chaleur des couvertes
Qu'à La Malbaie font mains expertes.

Mais dans mon âme une langueur
Me tient de revoir Tadoussac.
La fascination qui jamais ne meurt
De son charme m'attire comme un ressac
J'entends encore les cloches familières
Qui appellent les gens à la prière.
Souvent, dans la ville me promènent mes pas,
Mais mon coeur est resté avec eux, là-bas.

                              CHARLES BANCROFT

*Nous serons heureux lorsque nous aurons saisi l'idée que
l'art n'est pas chose hors de nous-mêmes; qu'il est le résultat
naturel d'une façon d'être; et que la manière d'être est la seule
chose importante; qu'un homme peut être un charpentier et un
grand homme.*

                              ROBERT HENRI

Quand je repense mes jeunes années, je suis remué par le souvenir des gens qui ont fait ou qui ont été quelque chose pour moi. Bien des fois, avec un sentiment de honte, me suis-je murmuré à moi-même au-dessus d'une tombe les mots que ma bouche aurait dû dire à ces disparus pendant qu'ils étaient encore de ce monde. Je n'avais pas encore appris à apprécier à sa juste valeur le plaisir de recevoir de vrais témoignages de gratitude. Bien souvent aussi, la gêne m'avait empêché d'exprimer la reconnaissance que je ressentais véritablement.

SCHWEITZER — MON ENFANCE

La vie, c'est comme la musique, il faut la composer par oreille, par sentiments et par instinct, mais non par règles.

SAMUEL BUTLER

Les plus plaisantes choses au monde sont les pensées plaisantes : le grand art de la vie c'est d'en avoir le plus possible.

MONTAIGNE

C'est une sagesse vieille comme le monde qui dit que de toute vie mortelle il faut attendre la fin pour affirmer qu'elle fut heureuse ou malheureuse.

SOPHOCLE

Ceux qui savent ne savent rien s'ils ne possèdent pas la force de l'amour, car le véritable sage n'est pas celui qui voit, mais celui qui, voyant le plus loin, aime le plus profondément les hommes.

MAURICE MAETERLINCK

Une maxime légale bien connue dit : "De minimis non curat lex" (La loi ne s'occupe pas de choses insignifiantes). Et si la loi ne s'occupe pas de choses insignifiantes, pourquoi m'occuperais-je des petites irritations de la vie ?

LES SUPERLATIFS

Le plus grand handicap... LA PEUR
Le plus beau jour... AUJOURD'HUI
La chose la plus facile... SE TROMPER
La plus grande erreur... ABANDONNER
Le plus grand défaut... L'EGOISME
La plus grande distraction... LE TRAVAIL
La pire banqueroute... LE DECOURAGEMENT
Les meilleurs professeurs... LES ENFANTS
Le plus grand besoin... LE BON SENS
Le plus bas sentiment... LA JALOUSIE
Le plus beau présent... LE PARDON
Le plus grand moment... LA MORT
La plus grande connaissance... DIEU
La plus belle chose au monde... L'AMOUR

AUTEUR INCONNU

Le bonheur est un parfum qu'on ne peut verser sur les autres sans qu'on s'en imprègne un peu soi-même.

RALPH WALDO EMERSON

Fille de la douleur, Harmonie, Harmonie,
Langue que pour l'amour inventa le génie !
Qui nous vins d'Italie et qui lui vint des cieux.

ALFRED DE MUSSET

Quand tu as été forcé par les circonstances à être troublé de quelque façon, retourne vite en toi-même et fasse que ton désaccord ne dure pas pas plus longtemps que nécessaire, parce que tu maîtriseras d'autant mieux l'harmonie que tu y retourneras sans cesse.

MARC-AURÈLE

Un des plus grands bonheurs de cette vie, c'est l'amitié; et l'un des bonheurs de l'amitié, c'est d'avoir quelqu'un à qui confier un secret.

ALEXANDRE MANZONI

Le bonheur dans la vie d'un homme ne consiste pas dans L'ABSENCE, mais dans la MAITRISE de ses passions.

ALFRED TENNYSON

La croyance que la jeunesse est le moment le plus heureux de la vie est basée sur une fausseté. La personne la plus heureuse est la personne qui entretient les pensées les plus intéressantes, et nous devenons plus heureux à mesure que nous vieillissons.

QUELQUES MOTS QUE J'AI RAVALES

"Comment les gens peuvent-ils être assez négligents pour laisser leur gazon pousser si haut?"

"Ça prend un idiot pour s'enfermer dehors en laissant sa clef en-dedans."

"Faut pas être raisonnable pour laisser un enfant de trois ans jouer dehors tout seul."

"C'est parfaitement ridicule de cacher des rembourrages magnifiques sous des housses, enfants ou pas enfants !"

"Ça ne prend qu'un sot pour affirmer des choses qu'il ne peut pas prouver !"

"En tout cas, ce n'est pas moi qui embêterais les autres avec les photos de mes enfants !"

L'art, c'est l'ombre de la perfection divine.

MICHEL-ANGE

La civilisation, c'est tout simplement un long apprentissage de la bonté.

JE NE PASSERAI PLUS PAR ICI

Dans ce monde où nous sommes, hélas,
On vient une fois et l'on passe.
Si je peux dire un mot ami
Ou donner un coup de main
A quelqu'un sur mon chemin,
C'est le temps de le faire
Sans retarder. Car, c'est bien clair,
Je ne passerai jamais plus par ici.

ELLEN H. UNDERWOOD

Il est bon d'avoir de l'argent et de ces choses que l'argent peut acheter. Mais il est bon, également, de temps à autre, de bien s'assurer qu'on n'a pas perdu ces choses que l'argent ne peut acheter.

GEORGE HORACE LORIMER

Ne vous souciez pas tellement de savoir qui a dit telle chose, mais bien de savoir CE qu'il a dit.

SAINT THOMAS D'AQUIN

Celui qui ne lit pas de bons livres, n'a pas beaucoup d'avantages sur celui qui ne sait pas lire.

L'appréciation, c'est la moitié de la possession.

EDWARD L. KRAMER

Et surtout, n'oublions pas qu'un acte de bonté est en lui-même un acte de bonheur. C'est la fleur d'une longue vie intérieure de joie et de contentement; il prouve des heures et des jours de paix passés sur les cîmes les plus ensoleillées de notre âme.

MAETERLINCK

On n'est jamais si heureux ni si malheureux qu'on s'imagine.

LA ROCHEFOUCAULD

Il n'y a, en amour, de bonheur durable et complet que dans l'atmosphère translucide de la sincérité parfaite. Jusqu'à cette sincérité, l'amour n'est qu'une épreuve. On vit dans l'attente, les baisers et les paroles ne sont que provisoires, mais cette sincérité n'est praticable qu'entre consciences hautes et exercées.

MAURICE MAETERLINCK

Aime-toi toi-même, et le ciel t'aimera.

PIERRE CLÉMENT

Etes-vous mécontent des résultats de votre journée? Elle est tout simplement la récolte de ce que vous avez semé hier.

Le secret d'être misérable, c'est d'avoir le loisir de s'inquiéter si l'on est heureux ou non.

GEORGE BERNARD SHAW

La vertu est-elle belle parce qu'on la loue, ou se gâte-t-elle quand on la critique? L'émeraude perd peut-être de son prix faute de louange?

MARC-AURÈLE

Le monde est une caverne à écho qui nous renvoie invariablement — un peu atténuée seulement — notre propre voix.

Si vous lisiez tout ce que les grands philosophes du monde entier ont jamais écrit sur le sujet du souci, vous ne trouveriez jamais rien de plus profond que les deux vieilles maximes : "Il ne faut pas traverser ses ponts avant d'y être rendu" et "Il ne faut pas pleurer sur un pot de lait renversé."

DALE CARNEGIE

PAS DEUX COMME VOUS

La vie que vous possédez existe depuis les origines de la matière vivante, il y a environ 4,000,000,000 d'années.

Chacun de vous possède deux parents, quatre grands-parents, huit arrière-grands-parents, etc. Et si vous observez l'arithmétique simple de ce fait, vous verrez qu'il y a à peine 32 générations (environ 1,000 ans), vos ancêtres auraient dû être plus nombreux que la population totale du globe à n'importe quel moment de l'histoire.

Le fait incontestable de votre participation à toute la vie met en relief cet autre fait, apparemment contradictoire, qu'il n'y en a pas deux comme vous. Par le mécanisme de l'hérédité, à chaque génération, un nombre d'environ 40,000 caractères — connus sous le nom de gènes — ont été brassés et rebrassés de telle façon, que le seul autre exemplaire qui puisse vous ressembler un peu serait un jumeau identique, issu de la fertilisation du même oeuf que vous.

Vous êtes donc unique. Biologiquement parlant, il n'y en a pas deux comme vous, il n'y en a jamais eu et il n'y en aura jamais.

Si la vie que vous portez a débuté il y a bien longtemps, VOTRE vie, comme entité distincte, a commencé à l'instant précis où un spermatozoïde à maturité — mesurant environ 2 millièmes de pouce de long, et voyageant dans les canaux reproducteurs à la vitesse approximative de 3 pouces à l'heure — a gagné la course contre 225 millions de concurrents pour atteindre un oeuf rendu à maturité, un ovule.

Ces 225 millions de concurrents avaient été produits le long des tubes — mesurant un mille et quart de longueur — qui se trouvent dans les testicules. L'ovule était un des quelque 30,000 oeufs originaux, dont 400 devaient arriver à maturité.

Jamais plus de 40 d'entre eux ne peuvent être fertilisés dans un même individu.

Donc, les chances que vous existiez étaient de 1 contre 30,000 au minimum, et 1 sur 40, au maximum. Mais ceci ne s'applique qu'aux oeufs. Au nombre des 225 millions de spermes capables de fertiliser cet oeuf, à un moment donné, UN SEUL pouvait le faire, et chacun d'eux était différent.

Multipliez donc 40 par 225,000,000, et vous aurez la probabilité statistique que ce soit VOUS qui résulte du désir de vos parents d'avoir un enfant. Toute autre combinaison possible d'un sperme et d'un oeuf aurait produit un individu différent.

Depuis cette micro-fraction de seconde où un sperme donné fertilisa un oeuf donné, qui devait devenir VOUS, vous étiez destiné à devenir différent de tout autre humain qui jamais vécut ou qui jamais vivra.

De chaque parent, vous avez reçu environ 20,000 entités ultra-microscopiques, — les gènes — qui devaient influencer votre composition individuelle. Les 20,000 gènes venant de votre père et les 20,000 gènes venant de votre mère s'accouplèrent, chaque paire pouvant ajouter, mélanger ou annuler leurs effets, et un gène de chaque paire pouvant s'effacer devant l'autre. Que vous ayez les yeux bruns ou bleus, que vos cheveux soient noirs ou roux, que votre taille soit grande ou courte, que vous ayez, oui ou non, des dons pour la musique, ou une quantité d'autres traits, tout cela a dépendu des contributions de vos parents et de leurs ancêtres.

On ne peut jamais épuiser toutes ses possibilités, on ne peut jamais utiliser tout le potentiel à sa disposition. Est-ce que tout cela peut être dû au hasard ? Oui, si le hasard est un nom que l'on donne à Dieu, quand on ne sait plus quoi dire pour expliquer la vie.

Et si, du fond des millénaires, le hasard a pris tout ce soin pour produire un VOUS, vous rendez-vous compte de votre importance ?

Magazine "Psychology"

De tous les sens, le plus important à développer, c'est le sens de l'émerveillement.

LE PLAISIR D'AIDER

Parfois, quand on est harassé d'écrire sur les livres, on pense à ce moment magique que vit une jeune personne rencontrant pour la première fois un livre authentiquement chargé de vérité et de beauté, voyant alors pour un instant le monde sous un jour nouveau et ressentant cette incandescence intérieure qui surgit à la conviction d'être soi-même un collaborateur avec la destinée dans la fabrique incessante de la vie.

CHRISTOPHER MORLEY

SON BONHEUR, ON LE FAIT

L'homme s'imagine que son destin lui est étranger parce que le lien lui en est caché. Mais l'âme contient déjà l'événément qui lui arrivera; parce que l'événement n'est que l'actualisation de ses pensées, et ce pourquoi nous prions à nous-mêmes est toujours accordé. L'événement, c'est l'impression de votre propre forme. Il vous va comme votre peau.

RALPH WALDO EMERSON

Sachons nous épargner, pour la fin de nos jours, le souvenir amer d'avoir peut-être dépensé une année de notre vie — par petits morceaux — à nous mettre en furie parce que nos oeufs du déjeuner n'étaient pas assez cuits.

Supposons qu'un homme vous maudisse ... Si un homme, debout près d'une source d'eau pure, la maudit, la source ne cesse pas pour cela de laisser couler son eau pure.

MARC-AURÈLE

Celui-là a les yeux capables de voir le bonheur qui peut :
"Voir un monde dans un grain de sable
Et le divin dans une fleur sauvage."

WILLIAM BLAKE

111

NOTRE TIROIR SECRET

Il existe dans tout coeur un tiroir secret
Où chacun cache ses trésors, un par un,
Chaque souvenir cher, à sa place on y met,
Et chaque relique, loin des regards importuns.

Chaque joie de l'enfance, depuis longtemps passée,
Les objets jadis aimés, qu'on a mieux connus;
La première rose brillant sous la rosée
Le premier rouge-gorge jadis entendu.

L'odeur du foin, à sa première fenaison,
Les marches dans le bois à la belle saison,
Les contes qu'on nous a racontés près du feu,
Tandis que dehors soufflait le vent poudreux.

Et les rêves qu'on a plus tard échafaudés,
Ces visions magiques de l'amour frais rencontré,
Les coins ombragés, les fontaines et les fleurs
Ornant les paysages de ces jours enchanteurs.

Et ce ruban d'or qui, un jour, nous attacha
A celle qui importe tant dans notre vie
Que, sans elle, tout nous semblerait sans éclat
Et toute joie de vivre toute anéantie.

La chanson qui résonne en notre souvenance
Un mot gentil totalement inattendu
La lettre qui, jadis, adoucit une absence
Et des milliers de tels plaisirs tous retenus.

Et tous ces trésors ont leur petit coin discret
Dans le mystère de notre tiroir secret.
Des mains étrangères parfois le font ouvrir,
Mais sans jamais savoir ce qu'il peut contenir.

AUTEUR INCONNU

Profitez du bonheur : il est plus tard que vous pensez.

PROVERBE CHINOIS

PROFITEZ DU BONHEUR !
IL EST PLUS TARD QUE VOUS PENSEZ

Plusieurs fois, j'ai raconté l'histoire d'une certaine lettre, que j'avais reçue bien des années auparavant, parce qu'elle avait eu une grande influence sur ma vie. Et je ne l'ai jamais racontée — sur les vaisseaux en pleine mer, ou devant un feu de bûches — sans qu'elle provoque des réflexions profondes.

PEKIN, CHINE

Cher docteur :

Vous m'avez probablement oubliée. Il y a deux ans, j'étais à votre hôpital sous les soins d'un autre médecin. J'ai perdu mon bébé le jour de sa naissance.

Le même jour, le docteur était venu me voir et m'avait dit en partant : "Ah ! oui, incidemment, il y a un docteur ici qui porte le même nom que vous; il a vu votre nom au tableau et il s'est informé de vous. Il dit qu'il aimerait venir vous voir, parce que vous pourriez être une parente. Je lui ai expliqué que vous aviez perdu votre bébé et que vous ne voudriez probablement pas voir personne, mais que je ne posais pas d'objection."

Un peu plus tard, vous étiez venu me voir. Vous avez posé la main sur mon bras et vous vous êtes assis quelque temps à côté de mon lit. Vous n'avez pas dit grand-chose, mais vos yeux et votre voix étaient si pleins de bonté, que je me sentis bientôt un peu mieux. Pendant que vous étiez assis, j'ai remarqué que vous aviez l'air fatigué et que les rides de votre visage étaient très profondes. Je ne vous ai jamais revu depuis, mais les gardes m'ont dit que vous étiez pratiquement à l'hôpital jour et nuit.

Cet après-midi, j'étais invitée dans une magnifique demeure chinoise, ici, à Pékin. Le jardin était enclos par un mur élevé, et sur un côté, entourée de fleurs rouges et blanches qui s'entrelaçaient, je vis une plaque de bronze d'environ deux pieds de long. J'ai demandé à quelqu'un de me traduire les caractères chinois. Ils disaient :

PROFITEZ DU BONHEUR,
IL EST PLUS TARD QUE VOUS PENSEZ

Alors, je me suis mise à penser à vous. Je n'avais pas voulu avoir d'autre bébé, parce que je pleurais toujours la mort de celui que j'avais perdu. Mais j'ai décidé, dès ce moment-là, que je n'attendrais pas davantage. "Peut-être est-il plus tard que je pense, moi aussi," *me dis-je.*

Et alors, parce que je pensais à mon bébé, j'ai pensé à vous, à votre visage marqué par la fatigue, et au moment de sympathie que vous m'aviez donné quand j'en avais tellement besoin. Je ne sais pas quel âge vous avez, mais je suis certaine que vous êtes assez vieux pour être mon père; et je sais que ces quelques minutes que vous avez passées près de moi ne signifiaient rien pour vous, mais elles avaient une valeur énorme pour la femme si désespérément malheureuse que j'étais alors!

Voilà pourquoi j'ose penser à mon tour que je peux faire quelque chose pour vous aussi. Peut-être est-il plus tard que vous pensez! Veuillez m'excuser, mais quand votre travail sera fini, le jour où vous recevrez cette lettre, asseyez-vous bien tranquille, tout seul, et pensez-y bien.

MARGUERITE

Je dors habituellement très bien lorsque je ne suis pas dérangé par le téléphone; mais cette nuit-là, je me réveillai une douzaine de fois avec l'impression de voir la plaque de bronze sur le mur chinois. Je me traitais de vieux fou pour me laisser troubler par la lettre d'une femme dont je ne pouvais même pas me rappeler, et je chassai l'idée de mon esprit; et puis avant d'avoir le temps d'y penser, je me prenais à me redire à moi-même : "Bon, peut-être qu'il est plus tard que je pense; et pourquoi ne pas y faire quelque chose ?"

Le lendemain matin, au bureau, je leur annonçai que je partais pour trois mois. Je téléphonai au Petit, un colonel à sa retraite qui était alors mon ami le plus intime, et lui demandai de venir à mon bureau. Lorsqu'il arriva, je lui annonçai que je voulais qu'il aille chez lui, faire ses malles, et qu'il m'accompagne en Amérique du Sud. Il me répondit qu'il aimerait bien ça, mais qu'il avait tellement de choses à faire dans les mois suivants qu'il était hors de question de s'absenter même pour une semaine.

Je lui lus la lettre. Il secoua la tête. "Je ne *peux* pas partir," dit-il. "Bien sûr que ça me ferait plaisir, mais depuis des semaines que j'attends la conclusion d'une grosse affaire. Je regrette, mon vieux, mais peut-être une autre fois ... une autre fois ..." Les mots sortaient plus lentement. "Qu'est-ce qu'elle disait, cette femme ? Il est plus tard que vous pensez ? Bon ..."

Il s'assit pour un moment, silencieux. Aucun de nous deux ne parla. Je pouvais pratiquement voir osciller la balance, alors qu'il soupesait les exigences apparentes du présent contre les années relativement peu nombreuses qu'il nous restait à vivre à l'un et à l'autre, exactement comme je l'avais fait la nuit précédente.

Enfin, il parla. "Ça fait trois mois que j'attends que ces gens-là se décident. Je n'attendrai pas davantage. C'est à leur tour d'attendre. Où as-tu dit que tu voulais aller ?"

Nous allâmes en Amérique du Sud. Nous passâmes des jours et des jours en mer sur un cargo confortable, prenant plaisir à sentir nos fardeaux glisser de nos épaules à mesure que les milles nous en éloignaient. Puis nous arrivâmes dans l'une des grandes villes de l'Amérique du Sud. Servis par Dame Fortune, nous fûmes reçus chez l'un des hommes éminents du pays, un homme qui avait bâti des aciéries immenses et dont les affaires grossissaient à vue d'oeil.

A notre première visite, le Petit demanda à notre hôte s'il jouait au golf. Il répondit : "Senor, je joue un peu, j'aimerais pouvoir jouer davantage. Ma femme est en vacances aux Etats-Unis avec les enfants. J'aimerais pouvoir la rejoindre. Je possède trois magnifiques cheveux, ici, que j'aimerais bien monter de temps à autre. Je ne puis faire aucune de ces choses parce que je suis trop occupé. J'ai 57 ans, et dans cinq ans j'arrête de travailler . Il est vrai que je disais la même chose il y a cinq ans, mais nous sommes en train de bâtir une nouvelle usine. Je ne peux même pas prendre un après-midi pour jouer au golf. Mon garçon de bureau a plus de loisirs que moi."

"Senor," répondis-je, "savez-vous pourquoi je suis en Amérique du Sud ?"

"Parce que," répondit-il, "vous n'aviez pas grand-chose à faire et que vous aviez le temps et l'argent pour vous le permettre."

"Non," répondis-je, "j'avais beaucoup à faire et je n'avais pas beaucoup d'argent ou de temps. Nous sommes tous deux ici aujourd'hui, assis sur votre magnifique terrasse, parce que, il y a quelques semaines, une femme que je ne reconnaîtrais pas si je la recontrais dans la rue a regardé une plaque de bronze sur le mur d'un jardin chinois, au coeur de Pékin."

Je lui racontai l'histoire. Comme le Petit, il me fit répéter les mots : *"Profitez du bonheur, il est plus tard que vous pensez."* Durant le reste de l'après-midi, il sembla un peu préoccupé.

Le lendemain matin, je le rencontrai dans le corridor de notre hôtel. "Docteur", me dit-il, "voulez-vous attendre un instant ? Je n'ai pas bien dormi. C'est étrange, n'est-ce pas, qu'une connaissance de hasard, comme vous admettriez vous-même l'être, puisse changer le cours d'une vie très occupée ? J'ai pensé longuement et sérieusement depuis que je vous ai vu hier. J'ai câblé à ma femme pour la prévenir que j'allais la rejoindre."

Il me mit la main sur l'épaule. "La main qui a écrit ces mots, sur le mur d'un jardin chinois," me dit-il, "avait certes les doigts très longs."

On a ajouté plusieurs années à l'espérance de vie moyenne, mais le sort d'un individu reste toujours une question de hasard. Les hommes qui ont le plus de valeur ont presque tous vécu surtout pour les autres. Il me semble qu'il soit temps de leur rappeler qu'ils auront plus d'années, — et des années plus heureuses, — pour aider les autres, s'ils commencent dès maintenant à s'aider eux-mêmes; s'ils commencent à aller aux endroits et à faire les choses dont ils rêvent depuis des années; s'ils donnent à ceux qu'ils aiment le bonheur de les voir jouir des récompenses auxquelles ils ont droit; s'ils remplacent la compétition par un peu de contemplation.

Voyez-vous, le "Petit" dont il a été question dans cette histoire, c'est en ma compagnie qu'il a passé les dernières heures de sa vie, il y a six mois, alors que j'étais à son chevet de mourant. Combien de fois ne m'a-t-il pas répété : "Fred, je suis tellement heureux que nous soyons allés ensemble en Amérique du Sud. Et je remercie Dieu de nous avoir inspiré de ne pas attendre trop longtemps."

Voilà donc le message de la plaque de bronze dans le jardin chinois : pour chacun de nous, peut-être qu'*il est plus tard que nous pensons.*

FREDERICK LOOMIS, M.D.
Dans son livre : "Le lien qui vous unit"

Etre heureux, voilà le résultat ultime de toute ambition.

SAMUEL JOHNSON

Si nous faisions tous toutes les choses que nous sommes capables de faire, nous serions littéralement abasourdis d'étonnement.

THOMAS E. EDISON

Le principe le plus profondément ancré dans la nature humaine est la soif de l'approbation des autres.

WILLIAM JAMES

Nous sommes le rêve du rêveur; nous sommes le poème du poète; nous sommes l'instrument des musiques, et nous sommes la distance qui nous sépare du reste du monde.

AUTEUR INCONNU

Il y a ceux qui regardent mais ne voient rien
Il y a ceux qui regardent et qui voient, mais qui ne disent rien
Il y a ceux qui regardent, et voient, et parlent, mais qui ne font rien.

PIERRE CLÉMENT

INSCRIPTION SUR LA STATUE DE LA LIBERTE

Donnez-moi vos pauvres lassés,

Vos milliers d'humains entassés,

Avides de cieux où librement on respire

Les humbles, trop nombreux, qui ont perdu le rire.

A moi les sans-foyers, enfants du désespoir

Qui errent sur les mers au gré de la tempête.

Que tous vers moi fièrement lèvent la tête

Je tiens le flambeau d'or aux portes de l'espoir.

HUMOUR

8

A TOUS LES EMPLOYES

A cause de la compétition croissante, et désireux de rester en affaires, nous avons jugé nécessaire de proposer une nouvelle politique

EFFECTIVE IMMEDIATEMENT

Nous demandons à nos employés que quelque part entre les heures du commencement et de la fin de la journée, et sans trop entamer le temps normalement réservé : à la période du lunch, au dix minutes pour le café, au petit repos, au racontage d'histoires, à la vente des billets de rafle ou de tirage, aux projets de vacances, et au ressassement des programmes de tévé de la veille — ils trouvent le moyen de réserver un peu de temps qui sera dorénavant appelé la PERIODE DU TRAVAIL.

Pour quelques-uns, ceci peut sembler une innovation radicale, mais nous soumettons l'opinion que l'idée peut avoir quelque mérite et de grandes possibilités. Elle pourrait être un précieux atout pour perpétuer un emploi durable et assurer la régularité des chèques de paie.

Bien que l'instauration de cette nouvelle période du jour ne soit pas obligatoire, il est à espérer que chaque employé puisse trouver du temps pour y penser.

La Direction

SOURCE INCONNUE

L'HOMME : SES DEFINITIONS

Le seul animal qui crache.

DONALD A. LAIRD

Le seul animal qui rougit — ou qui en ait besoin.

MARK TWAIN

Le seul animal qui peut être plumé plus d'une fois.

DIGESTE' IRLANDAIS

Le seul animal qui peut rester en termes amicaux avec les victimes qu'il a l'intention de manger, jusqu'à ce qu'il les mange.

SAMUEL BUTLER

Le seul animal qui pratique le troc; aucun autre animal ne le fait; jamais un chien n'échangera ses os avec un autre.

ADAM SMITH

Le seul animal qui est frappé par la différence entre ce que les choses sont et ce qu'elles devraient être.

HAZLITT

L'inventeur de la stupidité.

RÉMY DE GOURMONT

La terre a une peau, et cette peau a des maladies; une de ces maladies est l'homme.

NIETZSCHE

Le deuxième sexe le plus fort au monde.

PHILIP BARRY

120

L'HOMME...

Un paquet d'ancêtres.

EMERSON

Une créature produite à la fin de sa semaine de travail par un Dieu fatigué.

MARK TWAIN

Le meilleur ami du cheval;
Un être qui paiera $2.00 un item de $1.00 qu'il désire.
Une femme paiera $1.00 un item de $2.00 qu'elle ne désire pas.

WILLIAM BINGER

Un animal raisonnable qui se met en colère chaque fois qu'il doit agir conformément aux dictées de la raison.

OSCAR WILDE

Un animal imparfaitement dénaturé, sujet de façon intermittente aux réactions imprévisibles d'une région spirituelle non localisée.

RUDYARD KIPLING

Un animal à deux pattes, sans plumes.

PLATON

Un animal somnolent dont les femmes font grand état;
Un poisson légèrement altéré, un singe à peine amélioré.

GEORGE R. STEWART

Un animal politique.

ARISTOTE

L'HOMME...

De toutes les manières de définir un homme, la pire est celle qui en fait un animal raisonnable.

ANATOLE FRANCE

Un super-singe.

ELBERT HUBBARD

Une espèce quasi élégante de singe.
Un singe qui a de grandes possibilités.

ROY CHAPMAN ANDREWS

Un singe qui a appris à se peigner les cheveux;
A mi-chemin entre le singe et Dieu;
L'image que le chien se fait de Dieu.

HOLBROOK JACKSON

Le roi des bêtes;
L'aristocrate des animaux.

HEINE

Un animal qui lance des cacahuètes à ses ancêtres;
Quelle chimère que l'homme! Quelle nouveauté! Quel monstre! Quel chaos! Quelle contradiction! Quel prodige!...
La gloire et la honte de l'univers.

PASCAL

La seule erreur de la Nature.

ALEXANDER POPE

Un ange tombé qui se souvient des cieux.

LAMARTINE

122

PETITES NOUVELLES

Un citoyen bien connu
Dans sa cave est descendu,
Avec une allumette allumée,
Voulant une fuite de gaz dépister
Il l'a trouvée.

En nettoyant son fusil, Jean Bon
Fut emporté par la curiosité
A en fouiller de l'oeil le canon
Pour savoir s'il était chargé :
Il l'était, dit-on.

Un fumeur s'étant acheté
Au magasin de tabac tout près
Un coupe-cigares à guillotine, breveté,
Croyait ses doigts plus vifs que couperet
Point ne l'étaient.

Un jeune rural, lisant que l'oeil humain
De magnétisme est chargé tout plein,
Se mit en tête de bien vérifier
Son pouvoir sur un boeuf enragé
Ça n'a pas marché.

SOURCE ANONYME

PENSEES POUR NOTRE TEMPS

● *L'organisation sans coopération, cela ressemble à un violon pourvu d'une seule corde : quelques notes, mais pas beaucoup de musique.*

● *Il y a deux sortes de vendeurs; l'un fait des affaires grace à ses amis et l'autre se fait des amis grâce à ses affaires.*

● *Pourquoi personne ne nous donne-t-il pas une liste des choses que tout le monde pense et que personne ne dit, et une autre liste des choses que tous le monde dit et personne ne pense ?*

● *Il n'y a pas de sot métier, pourvu qu'il soit "unionisé".*

Ce que nous mangeons aujourd'hui, marchera et parlera demain.

PHILOSOPHIE DE LA VIE

L'homme entre en ce monde sans son consentement; il le quitte contre son gré, et le chemin parcouru du commencement à la fin en est fort rocailleux.

Quand il est petit, les grandes filles l'embrassent; quand il est grand, les petites filles l'embrassent, mais non les grandes.

S'il est pauvre, on dit que c'est un "bon à rien"; s'il devient riche, on dit que c'est un "profiteur"

Quand il a besoin d'argent, personne ne veut lui en prêter; s'il n'en a aucun besoin, tout le monde lui en offre (même la banque).

S'il devient politicien, c'est "pour ce qu'il peut en tirer"; s'il s'en désintéresse, "il n'a pas assez d'esprit civique pour faire sa part."

S'il fait des dons de charité, c'est pour se donner en "spectacle"; s'il ne le fait pas, c'est un "avare".

S'il prend une part active aux oeuvres d'église, c'est un "hypocrite"; s'il s'en abstient, c'est un "pécheur endurci".

S'il est affectueux, il est "mou"; s'il ne l'est pas, c'est un "coeur de pierre".

S'il dépense de l'argent, c'est un "gaspilleur"; s'il épargne son argent, c'est un "serré".

S'il meurt jeune, "il avait un brillant avenir devant lui"; s'il atteint un âge avancé, "il n'est pas arrivé à grand-chose".

Alors, pourquoi s'en faire !

Escargot :
Minime ruban métrique
Avec quoi Dieu mesure la campagne.

JORGE CARRERA ANDRADE

L'HOMME DANS LE MIROIR

Quand le monde t'a cédé ce que tu désires
Et que, pour un jour, il t'a fait roi,
Alors, va devant le miroir, regarde-toi;
Ecoute ce que cet homme veut te dire.

Ce n'est là ta femme, ni ton père, ni ta mère
Qu'il faut que tu considères.
Celui dont le verdict compte le plus dans ta vie
Est celui qui te regarde en vis-à-vis.

C'est lui qui compte. Laisse faire le reste,
Parce qu'avec toi, toujours il reste.
Tu passes le test le plus difficile de ta vie,
Si l'homme dans le miroir est ton ami.

Tu peux te penser quelqu'un, mon vieux,
Parce que tu as ramassé bien des sous
Mais l'homme dans le miroir dit : "Tu es un voyou",
Si tu ne peux le regarder dans les yeux.

Tu peux tromper les gens durant des années,
Mais tes meilleures joies seront gâtées,
Même avec de l'argent plein ton tiroir,
Si tu as triché l'homme dans le miroir.

DALE WINBROW

CONFERENCE

Terme financier élégant pour désigner l'échange de petites histoires dans le bureau particulier de quelqu'un.

Assemblée au cours de laquelle les gens parlent de choses qu'il devraient déjà être en train de faire.

Aucune grande idée n'est jamais sortie d'une conférence, mais un tas d'idées idiotes sont souvent mortes là.

PAUVRE PETIT !

Définition d'un enfant :
un appétit de cheval,
la digestion d'une avaleur de sabres,
la curiosité d'un chat,
les poumons d'un dictateur,
l'imagination d'un Paul Bunyan,
la timidité d'une violette,
l'audace d'une trappe d'acier,
l'enthousiasme d'une pièce pyrotechnique;
et, quand il fait quelque chose, il a cinq pouces à chaque main.

ALAN BECK

Certaines gens deviennent voûtés par le labeur.
D'autres deviennent croches à force de l'éviter.

Avec la seule exception d'Homère, il n'y a pas d'écrivain éminent, même pas sir Walter Scott, que je déteste aussi totalement que je déteste Shakespeare, lorsque je mesure mon esprit avec le sien.

BERNARD SHAW

Quand vient le moment où un homme a de l'argent à brûler, la plupart du temps, le feu est éteint.

Enseigne dans la vitrine d'une petite pharmacie de village : "Essayez notre sirop pour le rhume — vous n'en reviendrez pas."

Celui qui s'asseoit sur ses lauriers les porte au mauvais endroit.

N'importe quel enfant fera pour vous et avec plaisir n'importe quelle commission, si vous la lui demandez à l'heure du coucher.

Si vous regardez un sport, c'est un plaisir. Si vous le pratiquez, c'est de la récréation. Si vous y travaillez, c'est du golf.

OPTIMISTE

Un antisceptique; celui qui croit que la mouche qui vole dans sa cuisine cherche un endroit pour sortir.

Celui que n'inquiète quoi que ce soit qui arrive, pourvu que ce ne soit pas à lui.

Un gars qui voit toujours le meilleur côté des embarras des autres.

Celui qui raconte quel fou il a déjà été.

Celui qui n'a pas encore eu le temps de lire les journaux du matin.

La femme qui pense que le type qu'elle est à la veille de marier est mieux que celui qu'elle vient de divorcer.

Celui qui proclame que nous vivons dans le meilleur des mondes possible. Le pessimiste craint que ce ne soit vrai.

La fille qui confond un bourrelet avec une courbe; un nouveau marié qui pense qu'il n'a pas de mauvaises habitudes.

Toast : "Et voici maintenant à la femme qui rit des farces de son mari — non pas parce qu'elles sont brillantes, mais parce qu'elle l'est".

IMITATION

La forme la plus sincère de l'insulte.
La forme la plus sincère de l'envie.
La manière la plus sincère de faire le singe.

C'est une drôle de chose que la tête ne commence jamais à enfler avant que l'esprit ait fini de croître !

POURQUOI PRENDRE LA VIE SI SERIEUSEMENT? PERSONNE N'EN EST JAMAIS SORTI VIVANT!

*Maxime favorite du grand
psychologue Charles Beaudoin*

Je ne pense vraiment pas vivre assez vieux pour pouvoir parler sans embarras quand je n'ai rien à dire.

ABRAHAM LINCOLN

J'aime la flatterie. Je pense que c'est bon pour moi, bien meilleur que le whisky et bien moins dur pour les reins.

GEORGE BERNARD SHAW

Il y a deux insultes qu'aucun humain ne peut tolérer : se faire dire qu'il n'a aucun sens de l'humour, et — impertinence encore plus grande — entendre dire qu'il n'a jamais eu d'ennuis.

SINCLAIR LEWIS

Peu de choses ont mis autant d'hommes sur pied qu'un réveille-matin.

Rien ne nous incite autant à tolérer le bruit de la fête chez le voisin, que le fait d'être là.

Pourquoi les gens qui sont si mécontents des autres sont-ils si contents d'eux-mêmes ?

Rien n'est plus embarrassant que de regarder quelqu'un accomplir un travail que nous prétendions impossible.

La grande question à laquelle je n'ai jamais pu trouver de réponse, malgré mes trente ans de fouilles dans l'âme de la femme, c'est : "Qu'est-ce donc qu'une femme veut?"

SIGMUND FREUD

PRIERE

Seigneur, donnez-moi une bonne digestion,
Et quelque chose à digérer également.
Donnez-moi de corps saine constitution
Et la sagesse de la garder longtemps.

Donnez-moi un esprit sain, Seigneur,
Capable de vouloir le bien et le bon
Et, cédant au péché, sans folle frayeur,
Capable de trouver moyen de correction.

Donnez-moi un esprit qui ne s'ennuie
Ni geint, soupire ou gémit.
Sauvez-moi du souci trop étroit
De cet être incommode appelé MOI.

Donnez-moi le sens de l'humour, Seigneur
Et la grâce de savourer un bon mot,
Et de prendre en cette vie du bonheur
En sachant aux autres en passer aussitôt.

Prière inscrite dans la
cathédrale de Chester, Angleterre

La seule chose que la politesse peut nous faire perdre, c'est, de temps en temps, un siège dans un autobus bondé.

N'envoyez jamais un bambin faire un ouvrage d'homme — envoyez une femme.

De nos jours, le cercle de famille, c'est la roue de direction.

Il y a tout de même un bon côté au genre de musique que les teenagers aiment aujourd'hui écouter ... il leur est impossible de la siffler.

L'indignation morale peut être tout simplement de la jalousie qui porte un halo.

S'il fallait enfermer tous les faibles d'esprit, qui écrirait nos chansons populaires ?

Plus de travail mental au carrefour — moins de travail chirurgical à l'hôpital.

Moins de chevaux-vapeur et plus de chevaux-penseurs améliorerait beaucoup l'automobilisme.

La ligne droite, c'est le plus court chemin entre deux points donnés. C'est justement là où elle diffère notablement du golf.

Affiche installée sur les étals d'un marchand de fruits : "Dieu vient en aide à ceux qui s'aident eux-mêmes; mais Dieu vienne en aide à ceux-là qui se font prendre."

Celui qui se vante trop de ses ancêtres confesse qu'il appartient à une famille dont les membres valent mieux morts que vivants.

OSCAR WILDE

La mode, c'est ce qu'on porte soi-même. Ce qui n'est pas à la mode, c'est ce que les autres portent.

OSCAR WILDE

Il n'est pas tellement difficile de vivre avec un revenu humble, si l'on ne dépense pas trop d'argent pour cacher son secret.

Il s'est fait lui-même et il adore son créateur.

JOHN BRIGHT
parlant de Disraéli

Un homme sage achète à sa femme de la porcelaine si fine qu'elle n'osera pas se fier à lui pour laver la vaisselle.

Un gentilhomme est le mari qui tient la porte ouverte pour que sa femme puisse sortir la poubelle.

Titre :

DES HOMMES DONT VOUS N'ENTENDREZ JAMAIS PARLER

CHAPITRE I

Il y avait une fois un homme (vous n'avez jamais entendu parler de lui) qui ne pouvait travailler après le dîner. Le matin, il était rempli d'espoir; son esprit était alerte, et vers midi, il atteignait généralement son maximum de rendement. De midi à une heure, il avait accompli quelque chose, mais alors une cloche sonnait, on servait le dîner, et son esprit devenait paresseux.

Il ne lui est jamais venu à l'esprit d'imputer cet état de chose à son lunch.

C'est pourquoi vous n'avez jamais entendu parler de lui.

CHAPITRE II

Une fois, il y avait un autre monsieur qui travaillait sans cesse. Il se levait à bonne heure et travaillait avant le déjeuner; il travaillait à ces heures désespérantes de l'après-midi où le soleil est magnifique et cruel; il travaillait pendant que les autres s'amusaient à prendre des coquetels et il travaillait tard le soir.
Vous n'avez jamais entendu parler de lui, non plus.

FIN

CHRISTOPHER MORLEY

Des tests récents ont démontré que la quantité de fatigue produite par le transport d'un bâton de golf, sur une distance de 3,745 verges, est exactement égale à celle causée par le transport d'un sac de magasinage de 10 livres sur une distance de 400 verges.

Un petit village est l'endroit où le maître de poste en sait plus long que le maître d'école.

Les gens croiront n'importe quoi que vous leur direz, pourvu que vous le chuchotiez.

Rien au monde n'a autant besoin de réforme que les habitudes des autres.

Chez certaines gens, les dépenses en paroles sont trop grandes pour les revenus en idées.

La quantité de sommeil requise par chacun est en général, "dix minutes de plus".

Ni aujourd'hui ni jamais, la richesse ne suffit à classer un homme, mais aujourd'hui plus que jamais la pauvreté le déclasse.

(CHARLES MAURRAS, LA DIFFICULTÉ)

● *Avec du comptant on peut acheter, mais ça prend de l'enthousiasme pour vendre.*

● *La hauteur d'un pinacle est déterminée par la largeur de sa base.*

● *Non seulement faut-il frapper le fer quand il est chaud, mais encore et d'abord le rendre chaud en tapant dessus.*

● *Le seul embarras de la fameuse école de l'expérience, c'est que le cours est tellement long que les diplômés en sont trop vieux pour travailler.*

● *L'ambition, c'est comme l'électricité; très utile quand elle est bien maîtrisée, mais dangereuse quand on ne peut la contrôler.*

RÈGLES DE VIE

9

LE JEUNE QUI ME SUIT

Faut être prudent, que je me dis,
A cause du jeune qui me suit,
Et ne pas prendre le mauvais chemin,
Au cas où il suivrait le mien.

Je ne veux pas follement m'aventurer
En prenant du plaisir facile le sentier,
Ni me lancer dans la folle beuverie,
A cause du jeune qui me suit.

Impossible de me cacher de lui;
Ce qu'il me voit faire, il veut l'essayer.
C'est à moi, dit-il, qu'il veut ressembler
Ce garnement de jeune qui me suit.

Il me pense bon et sérieux
Il croit en tout ce que je dis
Faut pas qu'il voit de faiblesse en moi
Le jeune qui vient après moi.

Et je dois me le redire de toutes façons,
Peu importe l'heure ou la saison,
Que mes gestes décident de la vie
De ce jeune qui me suit.

AUTEUR INCONNU

CONCURRENCE

Parfois, je pense que mes concurrents font plus pour moi que mes propres amis; mes amis sont trop polis pour me montrer mes faiblesses; mes compétiteurs font tout, des pieds et des mains, pour les publier.

Mes concurrents sont efficients, diligents et attentifs, ils me forcent à trouver des moyens pour améliorer mes produits et mon service.

Si je n'avais pas de concurrents, je pourrais devenir paresseux, incompétent, inattentif; j'ai besoin de la discipline qu'ils m'imposent.

Salut à mes compétiteurs! Ils ont été bien bons pour moi. Dieu les bénisse tous!

BENI SOIT CELUI...

Béni soit celui qui a préservé du désespoir un coeur d'enfant! C'est une chose que les gens du monde ne savent pas assez, ou qu'ils oublient, parce qu'elle leur ferait trop peur. Parmi les pauvres comme parmi les riches, un petit misérable est seul, aussi seul qu'un fils de roi.

GEORGES BERNANOS
Le Journal d'un curé de campagne

Observons bien ce jour parce qu'il est la vie, la véritable vie de la vie. Durant la brève pause de ce jour se trouve toute la vérité et toutes les réalités de notre existence : le plaisir de la croissance, la gloire de l'action, la splendeur de la beauté. Parce qu'hier est disparu, et demain n'est encore qu'une vision. Mais, un aujourd'hui bien vécu fait de chaque hier un souvenir de bonheur et de chaque demain une vision d'espoir.

ANTIQUE PRIÈRE MUSULMANE
Tirée du "Sanscrit"

LE MOMENT LE PLUS IMPORTANT

Un soir, au moment précis où j'allais glisser dans le sommeil, se présenta à mon esprit le thème d'une conversation récente avec des visiteurs. Notre discussion avait tourné autour de cette question : "Existe-t-il en réalité quelque chose qu'on pourrait appeler le moment le plus important de notre vie ?"

Bien que nous fûmes tous d'accord sur l'existence d'un tel moment, nous en étions venus au fait que ce concept dépendait des valeurs personnelles de chacun. "Le moment le plus important de la vie d'une personne, dit quelqu'un, est celui de la découverte de son premier amour."

"Non, dit un autre, c'est celui auquel survient la responsabilité de la paternité."

Un autre avait suggéré encore : "Le moment le plus important de la vie est précisément celui de la mort, parce que c'est le dernier que nous passons sur la terre."

Et nous exprimions à tour de rôle nos opinions, les précisant en cours de discussion; les unes étaient très profondes, mais la tendance générale était d'admettre la variation et la diversité de ces moments pour chaque individu.

La nature même de notre conversation m'amena à réaliser que les événements — et leurs émotions — mentionnés comme étant les moments les plus significatifs n'étaient en réalité que des points plus brillants dans les pages de notre livre du temps; et, comme tels, ils devaient être les effets de causes plus profondes encore. D'une manière confuse, je me rendis compte que mes hôtes et moi avions justement manqué de saisir le principe sous-jacent de ces effets. Je sentais intuitivement qu'il y avait dans notre discussion une leçon digne d'être apprise, mais une vérité à laquelle personne n'était arrivé ce soir-là.

Avant de m'endormir définitivement, je fis une sorte de prière mentale que la réponse continue à mijoter dans mon esprit et qu'elle me soit révélée.

Durant le calme de la nuit, la machine de la pensée doit avoir travaillé patiemment pour me la procurer. Parce que, le lende-

main matin, pendant que la pleine connaissance me revenait, à travers les toiles d'araignée du sommeil, la conclusion m'apparut nette et claire et m'envahit totalement.

Soudainement, je me rendis compte que les événements et les émotions, grandes ou petites, étaient fabriquées à partir d'une même substance de base. Et ce qui avait une véritable signification, c'était justement cette substance et non pas les événements eux-mêmes.

Comme les tracés d'un crayon ne sont pas le crayon lui-même, mais tout simplement des dessins qu'on produit délibérément, ainsi les événements de notre vie sont des patrons créés à même une source dont ils jaillissent. La vie n'est qu'une série de maintenant. Chacun de nos maintenant, si fugace, si rapide qu'il ne semble pas exister, nous donne l'usage de sa puissance magique.

Maintenant, voilà le moment le plus important de la vie, il peut tout contenir; ce moment-ci est bon, ou ce moment-ci est mauvais.

Dans ce moment précis qui est maintenant, voilà où existe la capacité, le pouvoir de déterminer les événements futurs.

Nous pouvons y enfouir n'importe quelle semence négative, nous pouvons y esquisser nos futures bénédictions, ou nous pouvons tout simplement continuer à subir nos limitations automatiques.

Le choix peut se faire aussi rapidement que le tracé d'un trait de crayon sur une feuille blanche, ou le coup de pinceau sur une toile vierge.

Maintenant, ce moment même, voilà le moment le plus important de tout le temps de toutes les vies. Il est la cause du moment qui suit. Ces moments fabriquent les heures, et si nous nous attachons obstinément à bien faire le moment, nous produirons le bien fait des heures, des jours et des années à venir.

Lorsque nous ouvrons les yeux à la particule de temps qui est le maintenant, nous pouvons nous dire à nous-mêmes : "Le passé n'existe pas, par conséquent ses limitations ne peuvent exister. Le futur n'est pas encore ici, de sorte que je ne puis en faire l'expérience, puisqu'il n'est pas né ! Seul le maintenant est

*réel et la réalité du moment est entre mes propres mains, prête
à être formée selon mon bon plaisir."*

C'est nous qui en sommes les auteurs. C'est nous qui en
sommes les dessinateurs. Le maintenant est le temps qui nous
sert à illustrer le futur d'une main sûre et d'une imagination
inspirée.

HOMME DEMANDE

La maison Olcett & McKesson, pharmaciens en gros de
New-York, avait mis une annonce dans un journal pour demander
un petit commis, dans l'édition du lundi. Elle disait :
JEUNE HOMME INTELLIGENT : POUR TRAVAIL-
LER EN PHARMACIE, CHANCE D'AVANCEMENT.

Le mercredi, un adolescent visiblement exténué et les vêtements tout salis se présente, le chapeau à la main, pour offrir
ses services.

Le gérant le regarda par-dessus ses lunettes et dit : "T'es
un peu tard, mon garçon, tu trouves pas ? On a mis cette annonce-
là lundi."

"Je suis parti aussitôt que j'ai lu le journal", répliqua le
bambin. "Je reste à Poughkeepsie ... et je suis venu à pied."
(150 milles)

On l'embaucha.

Le jeune homme, c'était Daniel Robins, qui introduisit sur
le marché américain les pilules enveloppées de gélatine et plusieurs autres idées dans le domaine de la pharmacie. Il fut l'as-
vendeur en pharmacie de tous les Etats-Unis; et le même jeune
Robins devait devenir plus tard le président de la firme.

COUCHEZ-VOUS TOUT HABILLE ?

Déshabillez votre âme pour la nuit en déposant — comme
vous le faites pour vos vêtements — les erreurs de la journée
(d'omission ou de commission), et vous vous réveillerez chaque
jour libre, prêt à recommencer une vie nouvelle.

SIR WILLIAM OSLER

Pendant mes trente-deux années dans la vente, j'ai vu l'enthousiasme doubler et tripler les revenus de douzaines de vendeurs, et j'ai vu aussi le manque d'enthousiasme vouer des centaines d'autres à l'échec.

Je crois fermement que l'enthousiasme est à lui seul, et de loin, le facteur le plus important pour réussir dans l'art de vendre ... et qu'il en est ainsi dans tout le reste de la vie.

FRANK BETTGER

"L'homme le plus efficace, ce n'est pas le plus violent, celui qui commande ou qui détruit : c'est celui qui est le plus riche d'amour et de paix".

DANIEL ROPS

Modelez votre comportement sur celui de vos voisins, ou changez de voisinage.

PROVERBE MAROCAIN

On admire l'homme qui sait, mais on déteste celui qui sait qu'il sait.

Celui qui devient trop gros pour son pantalon finira par exposer ses fins.

Celui qui pense tout savoir a beaucoup à apprendre.

La nature donne à tous cinq sens : le toucher, le goût, la vue, l'odorat et l'ouïe. Mais le sixième — le sens commun — il faut l'acquérir.

Celui qui nous harasse renforcit nos nerfs et aiguise nos habiletés : notre antagoniste est toujours notre meilleur entraîneur.

EDMOND BURKE

NOTE DETAILLE

Au tournant du siècle, un artiste avait été embauché pour faire des retouches aux peintures d'une vieille église de Belgique. Une fois le travail fini, il avait présenté sa facture, au montant de $67.30, pour son travail. Les marguilliers exigèrent toutefois une note détaillée avant de le payer. Et voici le mémoire de frais qui fut alors présenté, discuté et finalement payé :

Item :	corrigé les Dix Commandements	$ 5.12
"	rénové le ciel et ajusté les étoiles	7.14
"	retouché le purgatoire et rafraîchi les âmes en peine	3.06
"	ravivé les flammes de l'enfer, mis une nouvelle queue au diable et fait diverses petites choses pour les damnés	7.17
"	mis une nouvelle pierre dans la fronde de David et élargi la tête de Goliath	6.13
"	rapiécé la chemise de l'Enfant Prodigue et lui avoir nettoyé une oreille	3.39
"	rembelli Ponce Pilate et posé un nouveau ruban à son bonnet	3.02
"	refait la queue et la crète du coq de St-Pierre	2.20
"	remplumé et redoré l'aile gauche de l'Ange Gardien	5.18
"	lavé le servant du grand-prêtre et lui avoir mis du carmin sur les joues	5.02
"	enlevé les taches du fils de Tobias	10.30
"	mis des boucles aux oreilles de Sarah	5.26
"	décoré l'Arche de Noé et refait la tête de Cham	4.31
	TOTAL	**$67.30**

Ma couronne est dans mon coeur, et non sur ma tête; elle ne contient ni de plumes d'Indiens, ni de diamants qui attirent les yeux; ma couronne s'appelle contentement : c'est une couronne que peu de rois portent.

SHAKESPEARE, LOUIS VI

Personne ne peut TROUVER la vie digne d'être vécue, il FAUT la RENDRE telle.

Pardonnez et oubliez : le premier aide votre âme, le second, votre tension artérielle.

Moins un homme pense, et plus il parle.

MONTESQUIEU

La première heure du matin est le gouvernail de la journée tout entière.

HENRY WARD BEECHER

Efforçons-nous de vivre de telle manière qu'à notre mort, le fossoyeur lui-même soit attristé.

MARK TWAIN

L'obstination et la véhémence dans les opinions sont le signe le plus sûr de la stupidité.

BERNARD BARTON

Quatre choses ne reviennent jamais : la flèche lâchée, la parole échappée, la vie passée et la chance manquée.

OMAR IBN AL HALIF

LE TEMPS, C'EST DE L'ARGENT

HIER est un chèque cancellé. DEMAIN, est un billet promissoire. Le seul comptant que nous ayons, c'est AUJOURD'HUI. Profitons-en avec sagesse.

On a beau parcourir le monde à la recherche de la beauté, on ne la trouve pas à moins de l'avoir avec soi emportée.

EMERSON

S'il fallait d'abord répondre à toutes les objections possibles, on n'entreprendrait jamais rien.

Le plus grand test de la valeur d'un homme n'est pas sa théologie, mais sa vie.

LE TALMUD

Celui qui surmonte les autres est fort. Celui qui se surmonte lui-même est vastement plus puissant.

PROVERBE CHINOIS

Chaque jour devrait être vécu comme s'il devait être le dernier.

PUBLIUS SYLUS

Pensons avant d'agir. Pensons deux fois avant de parler.

ANONYME

Parmi les choses le plus souvent ouvertes par erreur, il faut compter la bouche.

Le secret d'être misérable, c'est d'avoir le loisir de s'inquiéter si l'on est heureux ou non.

GEORGE BERNARD SHAW

Un problème bien énoncé est à moitié résolu.

Remettons toujours au lendemain ce que nous ne devions pas faire aujourd'hui.

Entre décider qu'on va faire une chose et la faire, il y a encore une étape à franchir, et c'est la plus importante.

Certaines gens ne pratiquent guère l'économie que de la vérité.

Juger autrui, c'est se juger.

SHAKESPEARE

Attachez votre regard à une étoile — mais gardez vos pieds sur la terre.

ANONYME

La méthode la plus rapide de faire beaucoup de choses, c'est d'en faire une seule à la fois.

La course ne va pas toujours au plus vif, ni la bataille au plus fort, mais c'est comme ça qu'il faut placer son pari.

DAMON RUNYON

Se fâcher contre quelqu'un, c'est souvent se punir pour les défauts de son vis-à-vis.

Les enfants ont bien plus besoin de modèles que de critiques.

JOSEPH JOUBERT

La meilleure raison pour tenir le menton haut, en cas de trouble, c'est que ça tient la bouche fermée.

Le raseur parle surtout à la première personne; la commère à la troisième, et le brillant causeur, à la deuxième.

A un banquet, on devrait manger sagement, mais pas trop; parler beaucoup, mais pas trop sagement.

SOMERSET MAUGHAM

Pour le faible, les circonstances sont la règle de la vie; pour le sage, ce sont des instruments.

Il n'y a pas d'héritage aussi riche que l'honnêteté.

SHAKESPEARE

J'ai toujours vu que pour réussir dans le monde, il fallait avoir l'air fou et être sage.

CHARLES DE SECONDAT

Car ce n'est pas ce qui vient à nous, mais bien ce qui vient de nous qui est la vie véritable. Etre, c'est créer et non recevoir sa vie (...) Ce que nous appelons réalité n'est point une chose qui s'offre à nous, mais un fruit de l'initiation, et l'initiation commence avec l'amour.

OSCAR VLADISLAS DE LUBICZ MILOSZ

Dans une lutte avec un ramoneur, perd ou gagne, on se salit toujours.

Notre fatigue est souvent causée non par le travail, mais par le souci, la frustration et le ressentiment.

DALE CARNEGIE

Une pensée qui ne mène pas à l'action n'est pas de la pensée — c'est du rêve.

ELIZA LAMB MARTYN

Pour l'âge et pour le besoin, épargne maintenant; nul soleil du matin ne lui la journée durant.

Passez outre. Abandonnez le sujet lorsque vous ne pouvez pas être d'accord; à quoi sert de vous faire de l'amertume si vous êtes convaincu que vous avez raison ?

Soyez plus sage que les autres, si vous le pouvez; mais n'allez pas le leur dire.

A. CHESTERFIELD

La vie se mesure en actions, non pas en années; en pensées, non en respirs; en émotions, non en chiffres sur un cadran; nous devrions compter le temps par nos battements de coeur. Celui-là qui pense le plus, s'émeut le plus noblement, agit le plus humainement.

PHILIP JAMES BAILEY
Un village de campagne

J'ai cessé de m'inquiéter de ce que les gens pouvaient penser de moi lorsque j'ai découvert qu'ils ne pensaient pas du tout à moi, mais s'inquiétaient de savoir ce que je pensais d'eux.

Gouverne-toi toi-même et tu pourras ensuite gouverner le monde.

PROVERBE CHINOIS

Celui qui est fidèle dans les petites choses est aussi fidèle dans les grandes; et celui qui est injuste dans les choses de minime importance est encore injuste dans les choses de grande importance.

SAINT LUC XVI : 10

Le meilleur remède pour la colère, c'est de la remettre à plus tard.

Le premier souci d'un homme devrait être d'éviter le reproche de son propre coeur.

JOSEPH. ADDISON

Le plus grand territoire à développer au monde se trouve sous notre chapeau.

Pour comprendre la vie, il faut se pencher sur le passé, mais pour la vivre, il faut s'accrocher à l'avenir.

Ne soyons pas trop généreux de nos conseils; gardons-en quelques-uns pour nous-même.

VOICI CE QUE JE CROIS

C'est chose propre à un homme que de chercher le bonheur et d'éviter le déplaisir.

Le bonheur consiste en ce qui réjouit et contente l'esprit; la misère en ce qui le trouble, l'indispose ou le tourmente.

Je me ferai donc un devoir de chercher la satisfaction et le plaisir et d'éviter l'inquiétude et le malaise; et d'obtenir autant que possible de l'un, et aussi peu que possible de l'autre.

Mais ici, il faut bien me garder de me tromper; car si je préfère un plaisir de courte durée à un plaisir durable, il est clair que j'agis à l'encontre de mon propre bonheur.

Il me faut donc maintenant examiner quels sont les plaisirs les plus durables de la vie; et, d'après le meilleur de mon jugement, voici en quoi ils consistent :

PREMIEREMENT — La santé, sans laquelle aucune des plaisirs des sens ne peut être goûté.

DEUXIEMEMENT — La réputation, car je réalise que tout le monde s'en trouve heureux, et que son manque est un tourment incessant.

TROISIEMEMENT — Le savoir puisque, si peu que j'en possède, je me rends compte que je ne le vendrais à aucun prix, ni m'en séparerais pour aucun autre plaisir.

QUATRIEMEMENT — Faire le bien, car je m'aperçois que la viande bien apprêté que j'ai mangée hier ne me donne plus de plaisir, voire, que je suis mal à l'aise après un trop bon repas. Les parfums que j'ai sentis hier ne peuvent plus aujourd'hui me donner de plaisir; mais le bien que j'ai fait hier, il y a un an, il y a sept ans, continue toujours à me plaire et à me réjouir aussi souvent que mon esprit s'y reporte.

CINQUIEMEMENT — L'attente d'un bonheur éternel et indicible dans un autre monde, puisque voilà une chose qui apporte un plaisir constant.

Si je veux sincèrement poursuivre ce bonheur que je me propose, quels que soient les plaisirs qui s'offrent à moi, je dois donc veiller très soigneusement à ne contrarier aucun des cinq bonheurs constants que je viens de mentionner. Car, par exemple, si le fruit que je contemple me tente par le plaisir qu'il peut m'apporter, mais peut affecter ma santé, je sacrifie un bien constant et durable pour un plaisir court et transitoire, je me rends moi-même malheureux, bêtement, et je ne suis pas sincèrement dévoué à mon propre intérêt.

JOHN LOCKE
philosophe anglais.

C'EST LE TEMPS

Si vous pensez qu'il a droit à des compliments,
Le temps de le dire, eh bien, c'est dès maintenant.
Parce que nul ne peut lire les paragraphes
Amoureusement inscrits sur son épitaphe.

BURTON BRALEY

LE TREFLE A QUATRE FEUILLES

La chance ? mais c'est tout simplement du courage
Et l'art de savoir mille fois recommencer.
Travail, volonté, persévérance et courage,
Voilà les feuilles du trèfle quadrifolié.

ANONYME

UN SOUCI

Un souci peut peser une once ou une tonne,
C'est toujours nous qui lui donnons son poids exact.
La morsure nous blesse ou nous laisse intacts,
C'est selon l'importance même qu'on lui donne.

EDMUND VANCE COOKE

Ce que tu ES parle si fort que je n'entends pas ce que tu DIS.

EDWARD L. KRAMER

C'est quand on n'a pas le temps de se détendre et de se distraire qu'il est le plus important de le faire.

EDWARD L. KRAMER

Il y a deux moyens d'être heureux; on peut augmenter ses moyens ou diminuer ses besoins; les deux sont également efficaces.

ROBERT BURNS

Il y a trop de gens dans le monde qui vivent sans travailler et beaucoup trop qui travaillent sans vivre.

Pour exécuter de grandes choses, il faut vivre comme si on ne devait jamais mourir.

LUC DE CLAPIER

PENSEES ET MAXIMES DE GOETHE

* *Il suffit de vieillir pour devenir plus pondéré dans ses jugements.*

* *Je n'ai jamais vu personne commettre une faute que je n'aurais pu commettre moi-même.*

* *Il est beaucoup plus facile de reconnaître l'erreur que de trouver la vérité, parce que l'erreur est à la surface et peut facilement se reconnaître; mais la vérité est en profondeur et l'art de la chercher n'est pas donné à tout le monde.*

* *L'ingratitude est toujours un genre de faiblesse. Je n'ai jamais connu d'hommes très capables qui fussent ingrats.*

* *Les manières d'un homme, c'est le miroir dans lequel il montre son portrait.*

* *Il ne suffit pas de savoir, il faut aussi appliquer; il ne suffit pas de vouloir, il faut aussi agir.*

147

VERITES UTILES

● *On maintient des armées pendant des années, pour s'en servir une seule journée.*

● *Seuls les imbéciles — tiennent à se donner le crédit des réalisations de leurs ancêtres.*

● *La moitié d'une orange goûte aussi sucré qu'une orange entière.*

● *Ce n'est pas le vin qui enivre un homme; c'est l'homme lui-même qui s'enivre.*

● *Si vous soupçonnez un homme, ne l'employez pas; mais si vous l'employez, ne le soupçonnez pas.*

DIVERS

10

PRIERE POUR PERSONNES PRESSEES

"Ralentissez-moi, Seigneur ! Allégez le martèlement de mon coeur en calmant mon esprit. Retenez mon pas hâtif en me faisant bien voir que le temps mène jusqu'à l'éternité.

Dans la confusion de mes jours, donnez-moi le calme des collines éternelles. Diminuez la tension de mes nerfs et de mes muscles par la musique calmante du ruisseau qui chante dans mes souvenances. Aidez-moi à connaître le pouvoir restaurateur et magique du sommeil.

Enseignez-moi l'art de prendre des vacances d'une minute, de ralentir pour observer une fleur; pour parler avec un ami; pour caresser un chien; pour lire quelques lignes d'un bon livre . . .

Rappelez-moi de regarder vers les hautes branches d'un chêne et de me rendre compte encore une fois qu'il est devenu grand et fort en grandissant lentement et sûrement.

Ralentissez-moi, Seigneur ! Inspirez-moi l'art de plonger bien loin mes racines dans le sol des valeurs durables de la vie afin que moi aussi je puisse réaliser ma propre destinée parmi les étoiles."

AUTEUR INCONNU

Le temps et la sagesse font diminuer l'importance de bien des choses, y compris l'importance de l'importance.

EMILY DICKINSON

"La vie humble aux travaux ennuyeux et faciles est une oeuvre de choix qui veut beaucoup d'amour."

VERLAINE

PERDU : Quelque part entre le lever et le coucher du soleil, deux heures d'or, chacune sertie de soixante diamants. Aucune récompense n'est offerte, parce qu'elles sont perdues à tout jamais.

HOLLIS MANN

Une des vérités les plus grandes et le plus souvent oubliées, c'est l'importance suprême du temps. Chaque parcelle de temps a son effet — en plus ou en moins — sur le succès matériel et spirituel d'un individu.

LE NOEUD DU PROBLEME

Le noeud du problème, si nous désirons un monde stable, est une chose bien simple et bien ancienne, un chose si simple que j'ai pratiquement honte de la mentionner, craignant les sourires de dérision avec lesquels les sages cyniques recevront mes mots.

La chose dont je parle, c'est l'amour, l'amour chrétien, ou la compassion.

Si vous ressentez cela, vous avez un motif de vivre, une source de courage, une nécessité impérieuse d'honnêteté intellectuelle.

BERTRAND RUSSELL

Le rôle du poète, c'est d'apporter la Beauté dans la vie, d'approfondir les facultés d'émotions et d'imagination, et de soulever l'esprit hors du trivial et du transitoire pour le porter dans le vrai et l'éternel.

W.B. YEATS

La prière est la plus puissante forme de l'énergie que nous puissions engendrer. C'est une force aussi réelle que celle de la pesanteur. A titre de médecin, j'ai vu des hommes — après que toutes les autres méthodes de thérapie eussent failli — se relever de la maladie et de la mélancolie par l'effort d'une prière sereine ... La prière, comme le radium, est une source d'énergie lumineuse.

ALEXIS CARREL

On ne peut se sauver d'une faiblesse de caractère; un jour ou l'autre, il faut la combattre ou périr. Et s'il en est ainsi, pourquoi pas maintenant, et ici même où je suis ?

ROBERT LOUIS STEVENSON

C'est la sagesse même qui a écrit : un ami devenu hostile est le pire ennemi.

SYDNEY SMITH

Un homme animé par une conviction est une force sociale supérieure à 99 hommes tout simplement "intéressés".

JOHN STEWART NEAL

*Le Ciel ne peut s'atteindre d'un seul bond
Et c'est nous-mêmes qui bâtissons l'échelle,
Qui monte de la terre jusqu'au Ciel,
Et nous arrivons au sommet, échelon par échelon.*

J.G. HOLLAND

Il ne se passe pas un seul jour sans que des gens — hommes et femmes — sans aucune notoriété, ne posent pas de gestes grands, ne prononcent pas de phrases profondes ou ne souffrent pas de douleurs nobles.

CHARLES READE

Le meilleur professeur est celui qui sait allumer un feu intérieur, faire sourdre l'enthousiasme moral, inspirer l'étudiant par une claire vision de ce qu'il peut devenir — et qui lui révèle la richesse et la permanence des valeurs morales, spirituelles et culturelles.

La vérité, c'est que la vie est délicieuse, horrible, charmante, effrayante, douce, amère, et qu'elle est absolument tout.

ANATOLE FRANCE

Une vie longue peut n'être pas assez bonne, mais une bonne vie est toujours assez longue.

BENJAMIN FRANKLIN

Cela seulement que nous avons ajouté à notre force d'âme, pouvons-nous emporter avec nous.

VON HUMBOLDT

Les pensées qui se nichent en nous, pour en ressortir sous forme de paroles et d'actions, déterminent notre caractère moral.

Il n'y a vraiment personne qui puisse nous faire fâcher; on se fâche toujours soi-même, de libre choix

Le façonnement du caractère commence dans l'enfance et continue jusqu'à la mort.

ELEANOR ROOSEVELT

Il n'y a rien qui coûte moins cher qu'une lecture choisie. On ne saurait rien acheter qui donne un meilleur rendement pour son placement.

Soyez heureux de la vie parce qu'elle vous donne la chance d'aimer, et de travailler et de jouer et de lever les yeux vers les étoiles.

HENRY VAN DYKE

Si petit que soit le lot de votre vie, bâtissez-y quand même quelque chose.

Ne restons pas là assis à parler des choses que nous allons faire — faisons-les !

Il ne peut y avoir de bienfaiteur égal à celui qui peuple la vie d'idéals nouveaux et élevés.

GEORGE MACDONALD

Qui sème une pensée récolte un désir
Qui sème un désir récolte une habitude
Qui sème une habitude récolte un caractère
Qui sème un caractère récolte une destinée.

CHARLES H. DEEMS

Si je peux empêcher UN coeur de se briser,

Je n'aurai pas vécu en vain.

Si je puis d'UNE vie la peine alléger,
Ou aider UN rouge-gorge, un petit,
En le replaçant dans son nid,
Je n'aurai pas vécu en vain.

EMILY DICKINSON

LE LIVRE

Lentement, je fermai les yeux après le livre :
Ses pages, en musique me semblaient revivre
Et leur clarté jusque dans la nuit me poursuivre.

Puis il me fut impossible de travailler :
J'avais l'esprit trop touché pour vouloir penser
D'un jour nouveau tout me semblait éclairé.

Des flammes célestes dansaient devant mes yeux
Incapable de travailler, j'étais heureux
Puisque dorénavant, je travaillerais mieux.

"The Book"
WINFRED ERNEST GARRISANE

153

TABLE DES MATIERES